JN244582

ぴょこたんの なぞなぞ めいろブック

このみ・プラニング

びっくり!学校めいろ

ガサ
ガサ
ジャ〜ンと
でました、
ぼく、ぴょこたん！
ズボッ
あっ！
ぴょこたん
見〜っけ！
！
ここに
いた！
やった〜
しまった！
ぼくたち、
かくれんぼ
してたんだった…

それより、ちょっとこれ見てよ
なあにその紙？
フムフム。…学校？
その学校にきてみろってて？
学校は面白い学校
体験入学
すんげーおもしろい学校に体験入学してみよう！場所はこちら
イエイ
そうみたい。いきかたのマップまであるわ
！
よし！おもしろそうだし、いってみようか！
ゴーゴー！

ハ〜イ♡
わたし、**ミミレ**よ。
なぞなぞが
とくいでーす
みんなも
じこしょうかいの
れんしゅうしながら
進んでみて！
ぼくは、**カメたん**。
なんでだか、
つっこまれやすいの
スタート

ゴール
さあ、とうちゃくだ。中に入ってみよう
ヘイヘイ！オレは**ゴリすけ**。くいしんぼうで力もちだぜ

あれ！
もしかして…？
学校の先生
ですか？
もしかしてじゃなく、
ホントに先生だぞ。
お、たいけん入学しに
きてくれたんだな！
45…
46…
47……
スクワットだぜ！

オレは
たいけん入学の
おせわたんとう、
安津井青春だ。
ヨロシク！
フー…
あっいぜ！

…って、
なんだ〜っ。
みんな、
かばんは
どうした？

いいか〜、
学校にかようなら
かばんがいるぞ。
ランドセル、
ゲットしにいくか！
ワーイ

よし、さっそくなぞなぞだ。
答えが「ランドセル」になる
なぞなぞをえらんで、
進んでみること！
それ、スタートっ！
「ポ」と、てれながら、
おでかけセットを
しまってくれている
ものって、
なーに？
ポ
にもつを
入れるときに、
手をあげては
いけないものって、
なーに？
「島で大やす売り」
みたいな名前の、
せなかにくっつく
ものって、
なーに？

答え・手さげ
うーん。もんだい、よく読んだかー？
答え・ポシェット
うーん。ちょっと小さいかな？
答え・ランドセル（島・売る）
こりゃ、ぼくらがせいかいだな！

ようこそ、たいけん入学(にゅうがく)へ！

いよいよ、1日(にち)たいけんの、はじまりはじまり。
どんな学校(がっこう)なのかな〜っ!?

さあ、まちがいさがしだよ！

右(みぎ)の絵(え)と左(ひだり)の絵(え)では、ちがうところが **5 こ** あるよ。さがしてね。

先生、これからどうするの？
ガラッ
まずは教室に入ろう。せきについて〜
ハーイ
ほい！
それじゃあ、ロッカーにランドセルをしまったら、はじめるぞぉ！

みなさん
こんにちは！
さいしょに、学校でつかうものをなぞなぞでだすからね。
しっかり聞いてしっかり答えてゲットするように

1
ゆび一本立てて
知らせるような、
長さをはかるもの
って、なーに？
2
おしだして、
水などとまぜて、
ぬってつかうと
きれいなもの
って、なーに？
3
黒板を
まねっこする
までは、
ただなんページも
白っぽいもの、
なーに？
4
とても頭がよいといわれる
細長いがっきって、なーに？
先生、
運動が
すきだね～

5
「今日だった！」と、つかう日になってから思いだすもの、なーに？

6
せっかく作っても、かざった後には小さなはこにぎゅうぎゅうしまうもの、なーに？

7
ノートの上にあるとじゃまだけど、下にあるとべんりなもの、なーに？

103
104

8
あなのあいたきかいに、頭をつっこんでとがらせてから仕事をするもの、なーに？

9
自分はまちがってないのに、小さくなってきえていくもの、なーに？

わかったぞ！
かんたんすぎ！
これでつかうものもそろったわ

ヤッター！
よっしゃ！それじゃあつぎは、学校たんけんだ！

イヤッホー！
まずは校長室へあいさつしにいこうか。かいだんが多いからがんばってついてこいよぉ！

WC
いって
みよう！
スタート

じっけん中

ろうかは.
はしらない

ゴール
おもしろかった！
ついたぞ、校長室だ
……う。ちょっとトイレ。先にいってくれ……
え！マジで
トントン……しつれいします
はい！いらっしゃい！
ヨウコソ〜
やあ！いらっしゃい！
ども！校長です
ども！校長です
ども！校長です
ワタシ
ワタシ
ワタシ
えーっ！だれがほんもの？

安津井先生～！
校長先生が～！
ねぇねぇ
…ちょ、まって！
ドンドン
3人います！
…とくちょういうから！
❶めがねをかけているぞ
❷ちょうネクタイをしているぞ
❸スーツをきているぞ
トイレ
ワシです
C
ボクだね
B
ミーでしょ
A
わかったよ～！
ろうかははしらない
ホッ…
よかった

Bのこの人が校長先生だ！
おほほ〜。せいかい！
ゆびさししちゃダメよ！
ゴメンゴメン。校長と名のってみたかった、兄の教頭です
シツレイシツレイ。校長と名のってみたかった、弟の教務主任です
きょうは一日、みんなで楽しんでいってくださいね
気にいったら入学もできますよ！
ヤッター
ミーから、学校なぞなぞをだしましょう。ぜんぶできたら、先へ進めます

10
ノートや教科書にくっついてしまう絵って、なーに？
11
学校の中でロウソクがでてくるところ、なーに？
12
かいぎ室でもないのに、話しあいをしていいそうなばしょって、なーに？
学校にあるものばかりですよ〜

13
いつでも、
人のおしりを
まっているものって、
なーに？
ドキドキ
14
おしりみたいな名前の
学校の出口って、
なーに？
15
昼と夜で
すむもののちがう、
学校にある
小さなマンション、
なーに？

16
「だん」と
いきおいよく
音がしそうな、
お花のあつまり、
なーに？
17
ぜったいに
はいて帰っては
いけない
くつって、
なーに？

19
運動する
子どもたちを、
のみこんでいる
「かん」って、
なーに？
18
千よりも
万よりも
ずっと上に
あるものって、
なーに？
100,000,000
いやいや、トイレが長くて、おまたせした！ところでなぞなぞはできたかい？
はーい。バッチリですよ！

先生、つぎはどこですか？
よっしゃ、図書室へいってみよう！
あれ？ししょの先生がいないなあ…。お〜い！
た〜す〜け〜て〜
！
！
どうしました！
わっ
さがしものをしていたら、こんなになっちゃって〜
みんな、先生をたすけにいくんだ！
ピーッ
まかせて！
スタート

ゴール
きましたよ〜
まあ、ありがとう！
わたしは、ししょの
小阿等(こあら)ララです
よっしゃ、
ここをかたづけたら
しょくいん室(しつ)へ
いこうな！
はーい。
楽(たの)しみ！

しょくいん室☆えさがし

❶ りんごはどこ？

❷ はさみはどこ？

❸ チョウチョはどこ？

❹ ぞうきんはどこ？

❺ カタツムリはどこ？

そうだ、しんたいそくていやってみるか？
せ、のびてるかな？
ほい、いくぞぉ

ここが、ほけん室!
ほけんしつ
すいませーん、しつれいしまーす
ンモーッ!いらっしゃい。わたし、ほけんの先生の牛山毛毛よ!しんたいそくていの前になぞなぞ、いくわよ!
モーイイカイ
モーモーミルク
ワーイ
ぜーんぶ、ほけん室にかんけいあるものが、答えになるんだモーッ!

20
「どく」というけど
どくじゃないもの、
なーに？
21
のれば、あっというまに
ある数字をおしえてくれる
べんりなもの、
なーに？
22
カーテンの
かげで
ねるものって、
なーに？
23
わきの下で
じっとするのが
仕事のものって、
なーに？
ピピピ…

それじゃあ、しんたいそくていをしながら、まちがいさがしめいろよ。正しい道を進モーッ！
おもしろそう！
スタート
しんちょうを計ろう！…まちがいは？
3こ！
2こ！

手をあらおう
体重はどれくらいかな！…まちがいは？
3こ！
4こ！

しりょくはどうかな！ …まちがいは？
3こ！
わかりません！
むしばはないかな！ …まちがいは？
4こ！
3こ！

耳もけんさしよう！…まちがいは？
4こ！
5こ！
ゴール
わあい！ぼく、大きくなってた
よかったわね！
…あれ？なんか聞こえる。いい音楽〜
おっ！音楽のじゅぎょうがはじまったかな。いってみなさい
ハーイ

あれぇ…？
聞(き)こえないね
どこー？
こっちかな
まいごになっちゃうぞ
もどろうか…
や！ほら！
ここだよ、ここ！ビンビン鳴(な)ってるぞ！
わ！
しつれいしまぁーす！

2こ
まちがい
さがせ！
音楽
目田留六区先生
HP250
とくい・・・えんそう
しゅみ・・・ショッピング
すき♡・・・クリムゾン
つよさ ☆☆★★★
音楽
目田留六区先生
HP250
とくい・・・えんそう
しゅみ・・・ショッピング
すき♡・・・クリムゾン
つよさ ☆☆★★★
イエイ！
かっこいい！

キャー
ワー
ウオーッ
ジャーン♪
ギュイーン
ヘイ！ ノリノリだぜ〜っ。まずは、がっきなぞなぞ、いくぜっ、イエイ！
音楽がすきなら、わかるはずぅ！
キュイ〜ン
24
黒いはと白いはをたたくといい音のする3文字、なーに？

25
水曜日と土曜日のあいだで作られたがっきって、なーに？
26
たくさんの小さなあなを、すったりはいたりするものって、なーに？
イエーって
27
たたくと音がでる「ネット」って、なーに？
28
たたくとやぶれちゃいそうな気がするがっき、なーに？

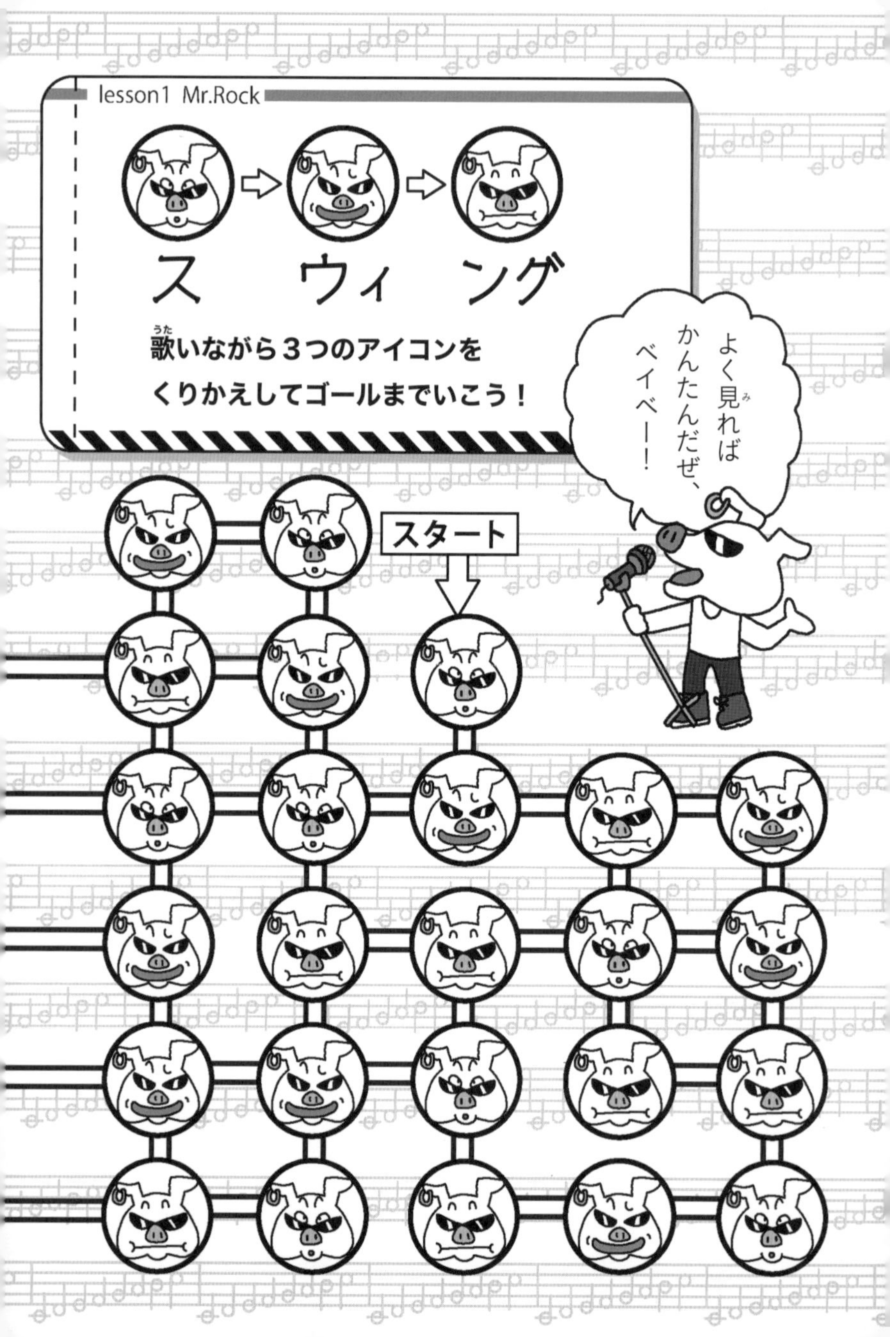
lesson1 Mr.Rock
ス　ウィ　ング
歌いながら３つのアイコンをくりかえしてゴールまでいこう！
よく見ればかんたんだぜ、ベイベー！
スタート

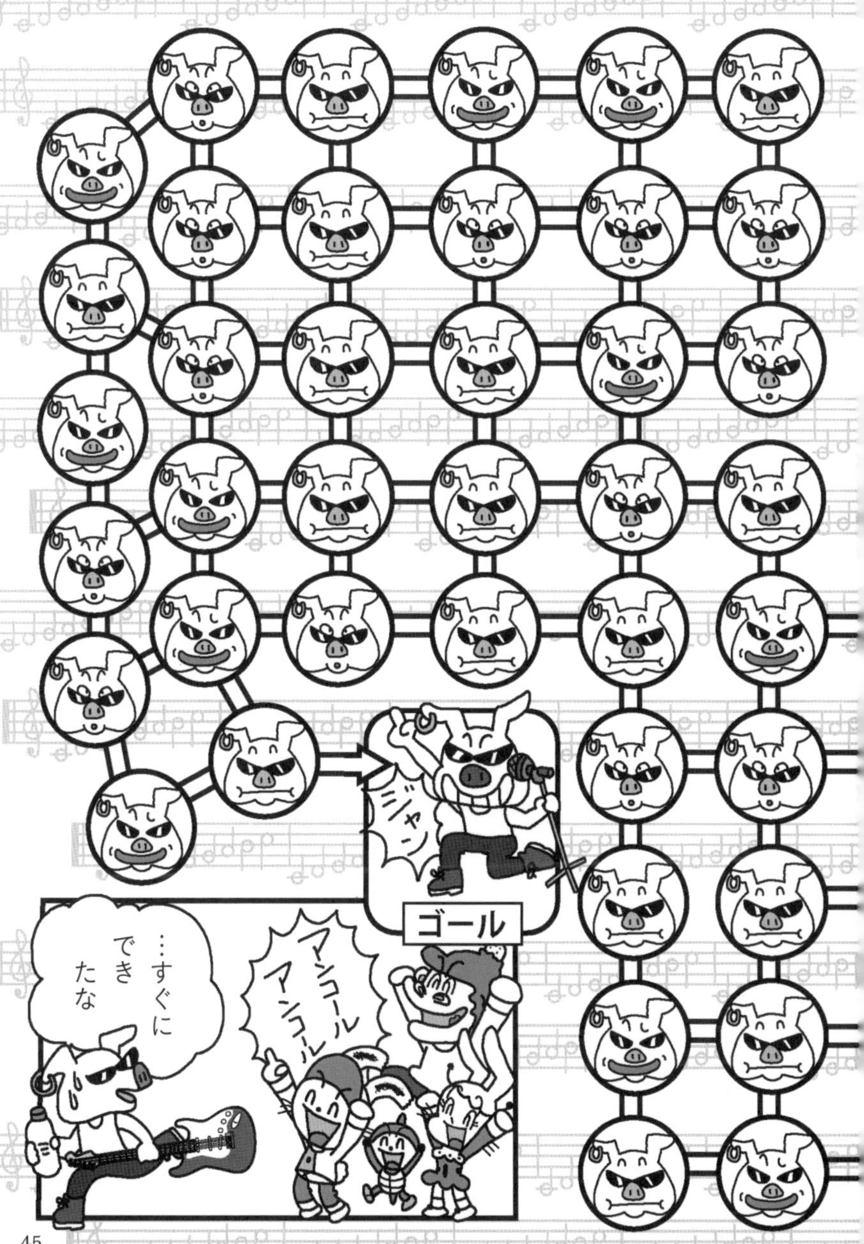
ジャーン
ゴール
アンコール
アンコール
…すぐに
できたな

ライブだぜ☆えさがし

❶ ほうきはどこ？

❷ チューリップはどこ？

❸ ネックレスはどこ？

❹ 頭（あたま）のリボンはどこ？

❺ トライアングルはどこ？

イエイ！
イエイ！
こんにちは、ぴょこたん。
理科室にもきてみない？
え、いいの？
もちろ～ん

4こ
まちがい
さがせ！
理科
実県歩楽巣子先生
とくい・・・かがくじっけん
しゅみ・・・たべあるき
すき♡・・・ひみつ
つよさ ☆☆☆☆★
理科
実県歩楽巣子先生
とくい・・・かがくじっけん
しゅみ・・・たべあるき
すき♡・・・ひみつ
つよさ ☆☆☆☆★
じっけんをしていたら、
フラスコが
まざってしまったの。
みんなにうまく
分けてほしいんだけど…
たいへんだ

フラスコ☆見っけ

❶ 見本と同じフラスコは２こ

❷ まちがいが２こあるのは２こ

❸ まちがいが３こあるのは１こ

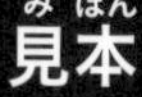

先生、わかりました
ああ よかった! ありがとう〜
おれいに、おもしろい じっけんを見せてあげるわ〜
まず、このくすりを…
こうして、コポコポ あたためて…
コポ、コポ、

すると
きれいな…
…ん？
あれ？
あれれ？
モクモク
あら？ あら？ あら？
モクモク
えーっ？
しっぱい？
あらまあ、
しっぱいだわ。
もくもくめいろから
いそいで
にげるのよ～
なんと！
スタート

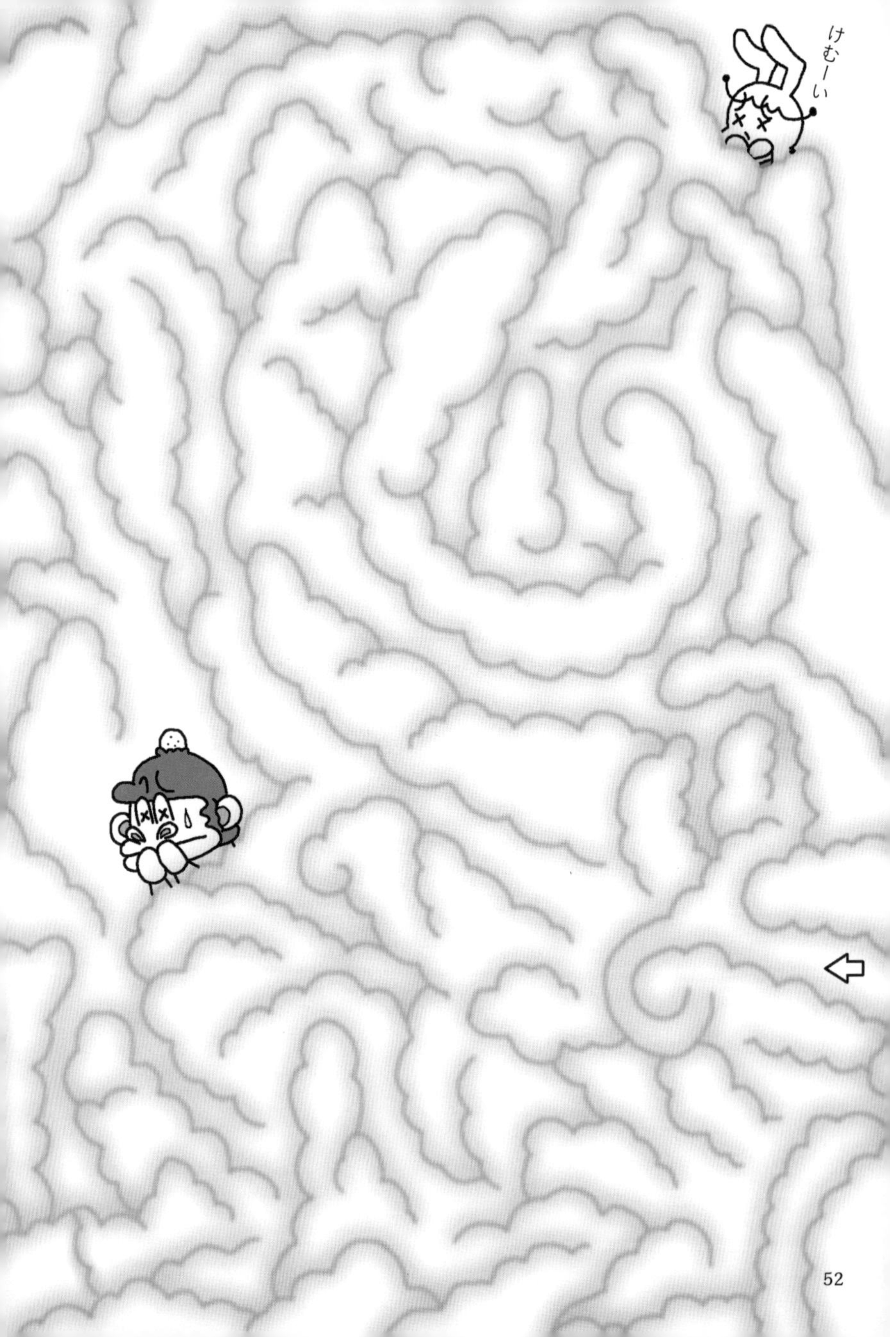
けむーい

出口だ。
たいへんな
目にあった！
ゴール
コッチ
コッチ

社会
古代地津夫先生

とくい・・・ちり
しゅみ・・・りょこう
すき♡・・・ふるいもの
つよさ ☆☆☆☆★

おっ!
キミたちは、
たいけん入学かな?
いいところへきたぞ。
地名をおぼえて
いきたまえよ。
おもしろいクイズだよ!

これは、
発掘調査だ
そこから
はいっちゃいかんぞ!

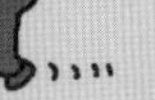

おじゃまします

絵(え)とき☆日本(にほん)の県(けん)の名(な)は

それぞれの絵(え)とヒントを見(み)て、
なに県(けん)なのかあててみよう！

これは石じゃないぞ、岩だぞ
県
「え」が、なんこあるかしら
えええ
県
くさいアレから「お」をとると？
-お
県
「えっ」っていっているのはだあれ？
県

地図記号☆なぞなぞ
❶ 名前を聞くと、1000くらいありそうな
あたたかくて気持ちいいばしょはどの記号？
❷ おさけの「しょうちゅう」のにおいが
プンプンしてくるばしょってどの記号？
❸ 海のそばに立っているのっぽさんは
どの記号？
キミたちは
ゆうしゅうですねえ！
それでは、
ワタシがすきな
地図の記号もんだいっ。
わかるかな？

地図記号☆めいろ

じゅんばんに上の記号だけをとおって、ゴールまでいこう！

おつかれ！
ゴール
まって〜
ピョン
なんのじゅぎょう？

3こ
まちがい
さがせ！
算数（さんすう）
今波数一二三先生（こんぱすうひふみせんせい）
HP20
とくい・・・わりざん
しゅみ・・・かけざん
すき♡・・・ピタゴラス
つよさ ☆☆☆★★
算数（さんすう）
今波数一二三先生（こんぱすうひふみせんせい）
HP20
とくい・・・わりざん
しゅみ・・・かけざん
すき♡・・・ピタゴラス
つよさ ☆☆☆★★
えーっ！ 算数（さんすう）か…。
わたし にがて
そーんなこと いわないで。やさしくおしえるから！

大(おお)いそぎ☆たしざん

下(した)の絵(え)にある1と2と3のお皿(さら)のキャンディーを、

5びょういないに、ぜんぶたしてみよう！

こんどは、
数ふやしめいろだよ〜。
1から10までじゅんばんに
キツネがふえる道を
進んでください！
スタート

ゴール

キツネだらけ☆えさがし

❶ ぼうしのキツネはなんびき？

❷ めがねをかけたキツネはなんびき？

❸ ここにいるぜんぶのキツネはなんびき？

ソフト
¥100
シラケ先生~!
よろしい。
じゃあ、
いっしょに
べんきょうする
だわさ

3こ まちがい さがせ!
図工(ずこう)
シラケネコ先生(せんせい)
HP10
とくい・・・あぶらえ
しゅみ・・・うえのさんさく
すき♡・・・ピカソ
つよさ ☆☆☆☆★
図工(ずこう)
シラケネコ先生(せんせい)
HP10
とくい・・・あぶらえ
しゅみ・・・うえのさんさく
すき♡・・・ピカソ
つよさ ☆☆☆☆★
これ、なに?
見(み)ればわかるだわさ。アートだわさ!
ジャジャン
The Wall
シラケ作

ちんぷん
かんぷん！
On the turning away
……。
そんじゃ、
もっとかんたんな
レッスンから
はじめるだわさ
フッ……
えーと。
ここにたしか
クレヨンが…
ゴソ
ガサ
これでまずは
お絵かきを…
オットット
ワァー！
ズコッ

ころんだんじゃ
ないだわさ。
クレヨンアートめいろ
やってみるだわさ！
ちらかった
だけじゃん！
スタート

おもしろかった！
シラケ先生すごい！
ゴール

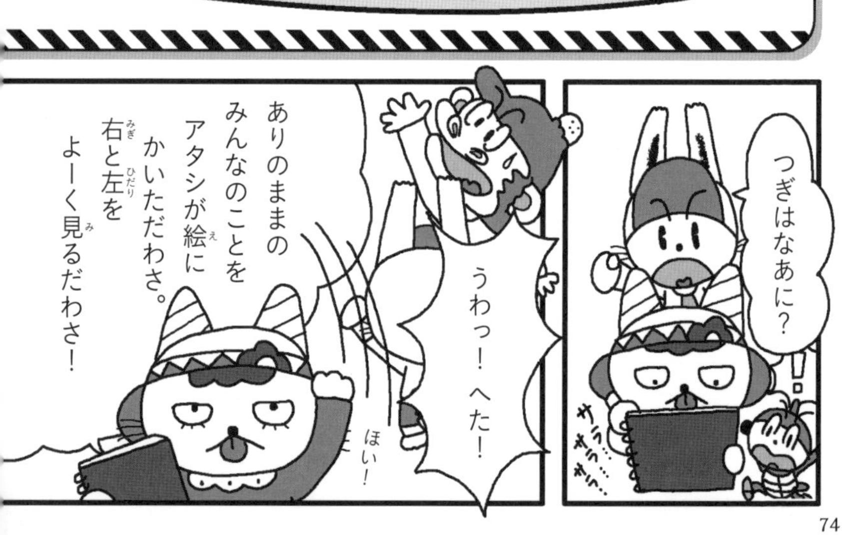

つぎはなあに？
!!
サラ……サラ……
うわっ！へた！
ほい！
ありのままの
みんなのことを
アタシが絵に
かいただわさ。
右と左を
よーく見るだわさ！

左になって
ふえたものを
6こ答えられたら、
またもいろを
やれるだわさ
…もう
つかれ
ちゃったー

でもその先に
国語の先生が
いるだわさ
え！
会いたい！

むむ！　紙のめいろだ。おくにすいこまれそう！
スタート

ゴール
ふぅ〜

こんにちは！
先生ですか？
そうですそうです
はいはい！
さっそく
国語のプリント
くばりますよ。
なぞなぞね！
3こ
まちがい
さがせ！
国語
感時尾角造先生
HP130
とくい・・・かんじけんてい
しゅみ・・・かきじゅんしらべ
すき♡・・・はいく
つよさ ☆☆★★★
国語
感時尾角造先生
HP130
とくい・・・かんじけんてい
しゅみ・・・かきじゅんしらべ
すき♡・・・はいく
つよさ ☆☆★★★

29
口からたれる
「よ」のつく
もの、
なーに？
30
大きなあなが
あいているのに、
「う」のつく
しずまない
もの、
なーに？
31
さむくなるほど
あつくなる、
「こ」のつく
もの、
なーに？
32
高いところで
めのでそうな、
「そ」のつく食べもの、
なーに？
なんだっけ

はいはい！
さっそく
国語のべんきょう
はじめましょう。
なぞなぞね！
33
切るとなける
「た」のつくやさいって、
なーに？
34
2まいのせると
ごはんが楽しくなる
「の」のつく食べもの、
なーに？
ドサッ

35
長くすわっていると
切れてくる
「し」のつくもの、
なーに？
36
海のまん中で
ふんすいをあげる
「く」のつく生きもの、
なーに？
37
どんなに
おおぜいで歩いても
足音ひとつ聞こえない
「あ」のつく虫、なーに？

38
長い首で
ゴミを食べる
「そ」のつくもの、
なーに？
39
まったく
やる気のない
「ぼ」のつくやり、
なーに？
40
春にいい声で鳴く
「う」のつくイス、
なーに？
41
とにかく
朝がにがてな
「ね」のつくスティック、
なーに？
42
29〜41の
「」の13文字を
ならべると
どんなことば？
えっ？
もんだい文の？

もんだい文の「」も…
ならべて読みました
お！丸、丸、丸、丸…
つぎのもんだいまだですか〜
まだイケるぜ！
ほう、元気そうではないですか
元気です！
では、国語のじゅぎょうらしく、しりとりめいろをやりましょう〜

どーなっつ
まど
ひこうき
きりん
めろん
ごはん
こま
すずめ
もち
みかん
すいか
りす
せみ
かさ
おにぎり
あさがお
スタート
とうふ
りぼん
かたつむり
さいしょは、「あ」のつくことばでスタートだね！

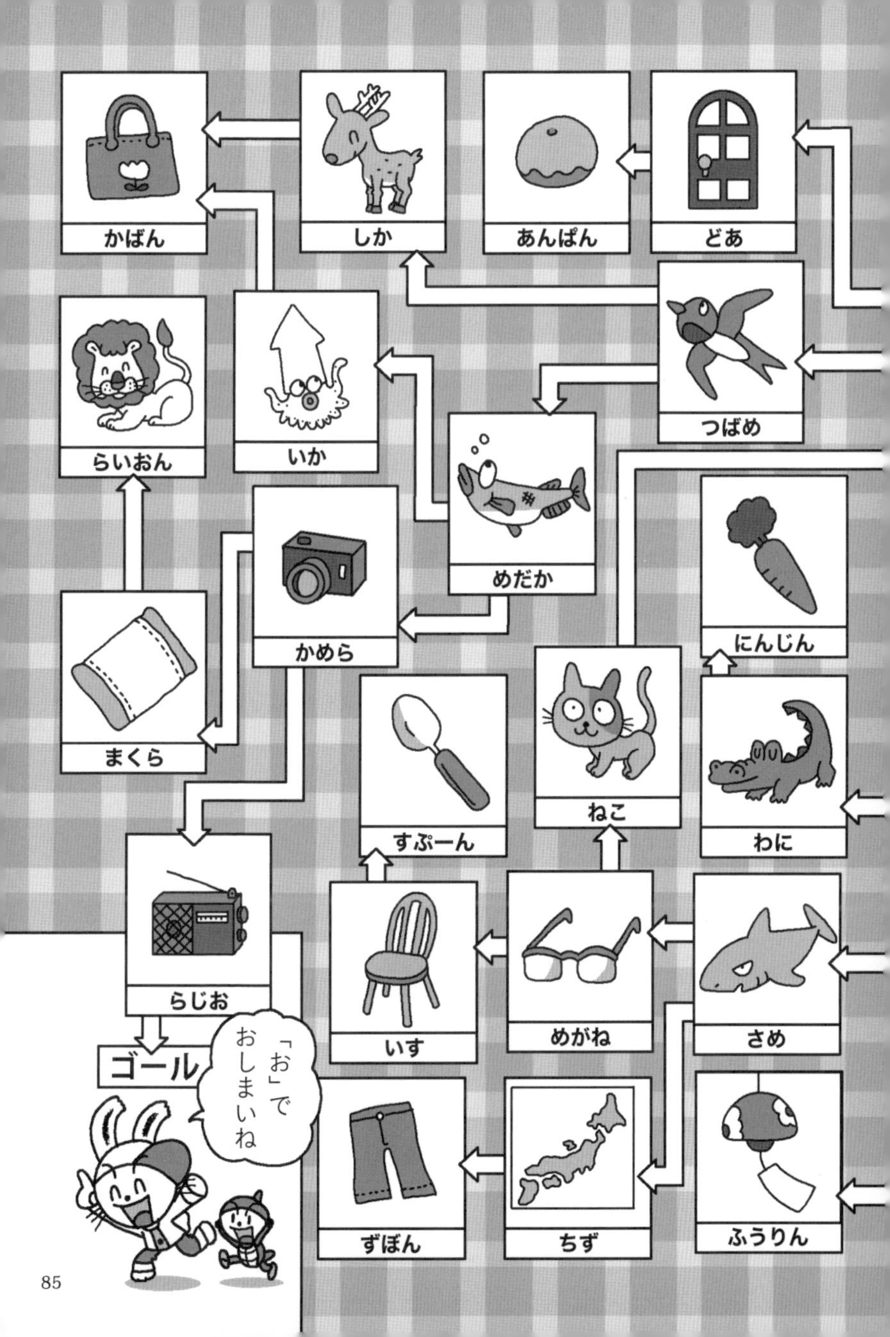
かばん
しか
あんぱん
どあ
らいおん
いか
つばめ
めだか
かめら
にんじん
まくら
ねこ
すぷーん
わに
らじお
いす
めがね
さめ
ゴール
「お」でおしまいね
ずぼん
ちず
ふうりん

まちがい文字☆さがし

下の風船に書かれたひらがなで、
まちがっているものをぜんぶさがしてね！

そか、安津井先生は体育の先生か
せっかちね
いくぞっ！

体育
安津井青春先生
HP850
とくい・・・きんトレ
しゅみ・・・うみにさけぶ
すき♡・・・ドラマかんしょう
つよさ ★★★★★
3こ まちがい さがせ！
体育
安津井青春先生
HP850
とくい・・・きんトレ
しゅみ・・・うみにさけぶ
すき♡・・・ドラマかんしょう
つよさ ★★★★★
よぉし！ ガンガン 頭と体を うごかして いこうぜ。 まずは、なぞなぞ！
バンバン

43
運動のための
運動って、
なーに？
ヨッ
44
「はい、どうぞ」
みたいにいう
ばしょって、
なーに？
ホッ
45
とまっていても
スポーツしている
みたいなくつって、
なーに？
46
貝があつまって
運動する
ことって、
なーに？
すごっ

ピピー
よぉし！
しゅうごう！

ワイ
ワイ

きょうは
たいけん入学の
みんなと
いっしょに
ミニ運動会を
するぞ～！
おおーっ！

まずは、
じゅんび
運動！
ピピー
ひゃーっ

へったもの☆さがし

上(うえ)と下(した)の絵(え)で、へったものを５こさがそう！

玉入れターゲット☆さがし

絵の中から、下の❶〜❺を見つけよう！

さがすのも
わすれるな〜
もちろん！
つぎだ〜！

つなひき☆まちがいさがし

上下(じょうげ)でかがみうつしの、まちがいさがしだよ！

2まいの絵(え)には、

ちがうところが **5こ** あるよ。さがしてね。

オ〜イ
ギュイ〜ン
キャッ
ボオッ
ナイスキャッチ、ミミレさん！
うひ！
やるぅ
ハッハッハッ
ボール なぞなぞ、いってみようか
ハッハッハッハー
クルクル
47
ポストがあっても
手紙は
だせない、
足だけで
シュートする
スポーツ、なーに？
ソリャー

48
あなのあいた
ネットじゃないと
しあいにならない
スポーツ、なーに？
49
大きなダイヤモンドの
中でするという
スポーツ、なーに？
50
長いろうかの
先にならんだものを
たおすスポーツ、
なーに？
51
おすを、
手にふりかけてからやる
スポーツ、なーに？

お話(はなし)カード☆4まいえらび

❶「なげました！」→❷「キャッチ！」→❸「なげました！」→❹「バシーン！ いてっ！」と、つながるようにならべてね！

運動場(うんどうじょう)☆めいろ

ふしぎにおくゆきのある運動場(うんどうじょう)だ～。

まん中(なか)にあるスタートから、ゴールまでいってみよう！

へい！
ゴール

イヤッホー
さすがぴょこたん。いっとうしょう!

よぉし!そろそろみんな、はらがへっただろ。おまちかね、きゅうしょく食べよう!
ヤッター

わ、うごきがはやいな!
ヤッホーイ

つくえを
くっつけ
るんだね
おいでよ！
ワイ
そんじゃ、
いただきます
…の前に、
なぞなぞ
いくぞ！
ハイ

52
わるとできる、おいしい目玉って、なーに？
53
作るとき、3度に1回しかせいこうしない食べものって、なーに？
54
近くでやいて食べるものって、なーに？
あっちから、いいにおいがしてきたねぇ～
あ～ん、おなかすいた！
すぐになぞなぞクリアしましょ！

うほうほ
55
食べすぎると
やってくる
「とり」って、
なーに？
56
よく家まで
はこんでくれる、
星座みたいな
食べものって、
なーに？
57
おふろに入った
イヌみたいな
食べものって、
なーに？
58
半分おりこうさんで
半分おバカさんに
なっちゃう
食べものって、
なーに？

3こ
まちがい
さがせ！
給食
追市区田部代先生
HP890
とくい・・・りょうり
しゅみ・・・りょうり
すき♡・・・りょうり
つよさ ☆☆★★★
給食
追市区田部代先生
HP890
とくい・・・りょうり
しゅみ・・・りょうり
すき♡・・・りょうり
つよさ ☆☆★★★
はあい！
みなさん、おまたせ～。
いっしょうけんめい
作ったよ
ありがとう
ございます！

59
しょっきの名前
みたいだけど
ちゃんと食べられる
メニューって、
なーに？
60
ウシが
新しく作った
のみものって、
なーに？
61
「あの人たちは
イスだ」
みたいな名前の
食べもの、
なーに？
62
くりかえすと
おこっている
みたいな名前に
なるデザート、
なーに？
なぞなぞの答えが、きゅうしょくですよ～。みんなにくばってね！
はーい！

みんなで、いただきま～す！

いっしょに食べるとおいしいね。
…だけど、かわっていることにも気をつけて！

さあ、まちがいさがしだよ！

右の絵と左の絵では、ちがうところが **6 こ**あるよ。さがしてね。

あ！ ほうそうだ
こんにちは、きゅうしょくはおいしかったですか？お昼のほうそうは、校長室から3兄弟がおとどけします。キミたちにみぢかななぞなぞ、いきますよ〜！
63
歌なのにお金みたいな名前になるもの、なーに？

64
手がストライキをおこしちゃうのはなんの日？
65
学期がかわるときにでてくる「ヒョウ」って、なーに？
66
下校のときについ、食べたくなる「くさ」って、なーに？
67
学校の中で、山やトンネルができるところって、なーに？

68
風にふかれると
じゅぎょう中でも
ブラブラするもの、
なーに？
69
足でのぼるのに
おりるときは
だいたいおしり。
これって、なーに？
70
運動会で走る、
車みたいな名前の
ところって、なーに？

それではこれで、お昼のほうそうをおわります。
なぞなぞは、できましたか？きょうも聞いてくれてありがとうございました！
ごちそうさまでした！
今日のとうばんは、キツネとコアラでした。
よぉし！つぎは、なんだと思う？
はーい
そうじです！
ハイ

ふっふっふ。
ここでもなぞなぞを
がんばってもらうぞ！
そうじどうぐ
なぞなぞだ～。
やってみよう！
71
はいてばかりで
ぬげないものって、
なーに？
72
「ぞう」は「ぞう」でも
しぼられてばかりの
「ぞう」って、なーに？
ワーイ

73
「プ」と、おならしながら、
ボサボサ頭で
さかだちする
はたらきものって、
なーに？
74
ゴミにまぎれていそうな
「とり」って、なーに？
75
水を入れてはこべる
「おしり」みたいな
名前のもの、
なーに？
ワイワイ
ガヤガヤ

よぉし！
そうじどうぐを
とってきて、
はじめるぞー
ハーイ
あの中に
あるのかな？
イエィ
エ？!!
！
すいこま
れた！
うわーっ？
ここ、めいろの
入口なのー？
スタート

ゴール
よっ！

おきてーっ
おきてーっ
!
ね、ねてないよ!
ゴッ
ぐぎ
ねえ、ここ…

学校じゃ…ない?

や、そんなこと
ないよね。
先生をさがそう
パサパサ
ん？
バサバサ
きゃーー！
やめてやめて
スミマセン‥
カキーン
やめてって
いってるでしょ！
ほんとにもう～
ねーねー、
うごかないほうが
いいんじゃ
ない？
ちょっと
だけ、
いって
みよう

ほら！
後もどりは
できないわよ
スタート

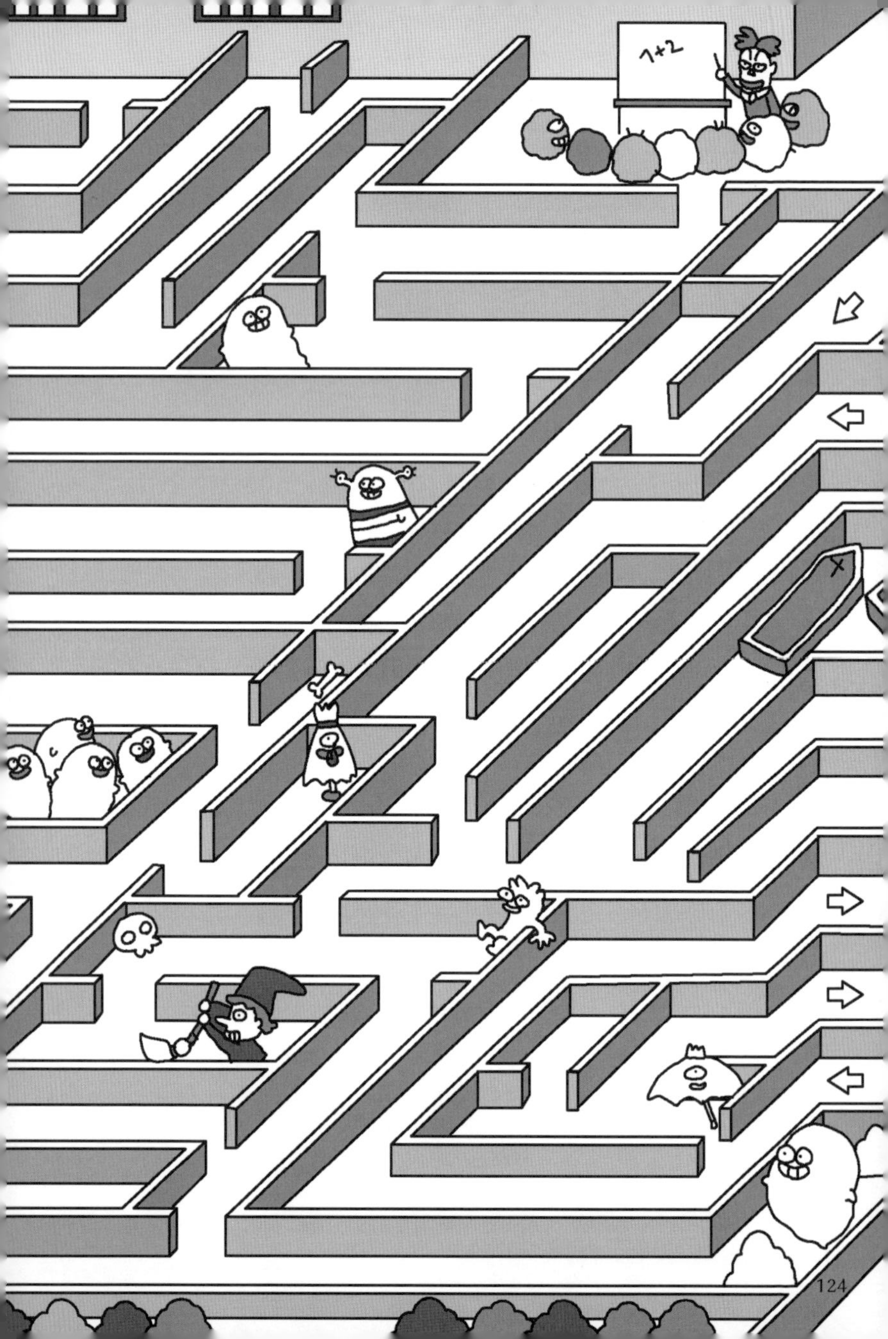
1+2

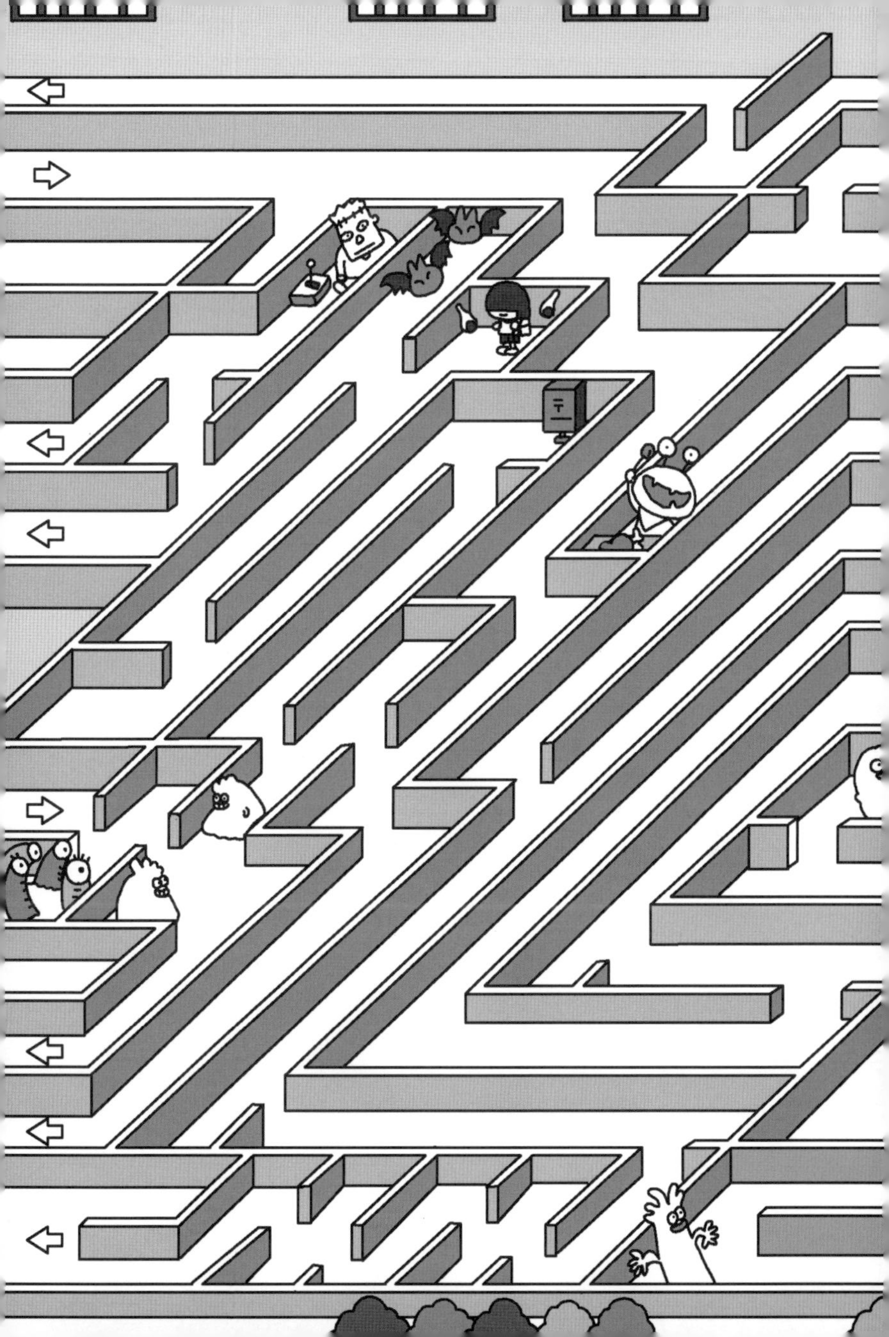

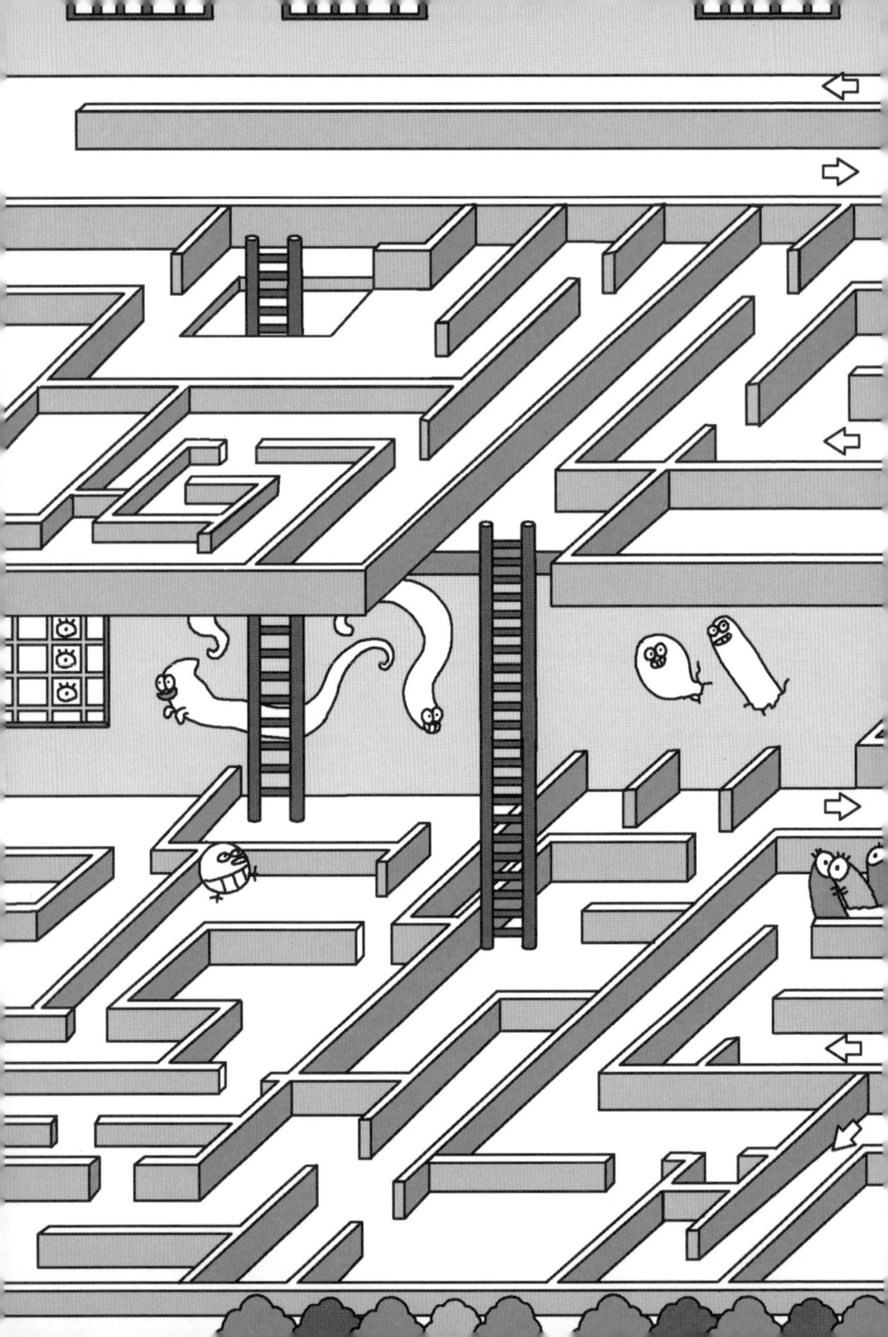

あれ？　また　音楽？
あっち！
ゴール

目田留先生がいるのかしら？
ガラッ
このへやかな！
エーッ
ぶきみなぞなぞ～
やってみろ～♬
76
ころがると
おそろしいほど大きくなり、
あつくなるとあっさり
とけてなくなるばけもの、
なーに？
77
ばくはつみたいな音をだし、
いっしゅんできえてしまう
光るばけもの、なーに？

78
かたい体からあわをだし、
人のためにはたらいて
小さくなっていなくなる
ばけもの、なーに？
79
するどいはで切りきざみ、
そのはがおれると
さらに
するどくなるという
ばけもの、なーに？
わかるか〜
できるか〜♪
80
いたに食いついては
ゴリゴリ切る、
顔ぜんたいが
はでできた
ばけもの、なーに？
こ〜わ〜い〜だ〜ろ〜♫

理科室☆まちがいさがし

1と2と3の絵には、見本とちがうところが **1こ** ずつあるよ。
それぞれどこかさがしてね。

見本

1

2

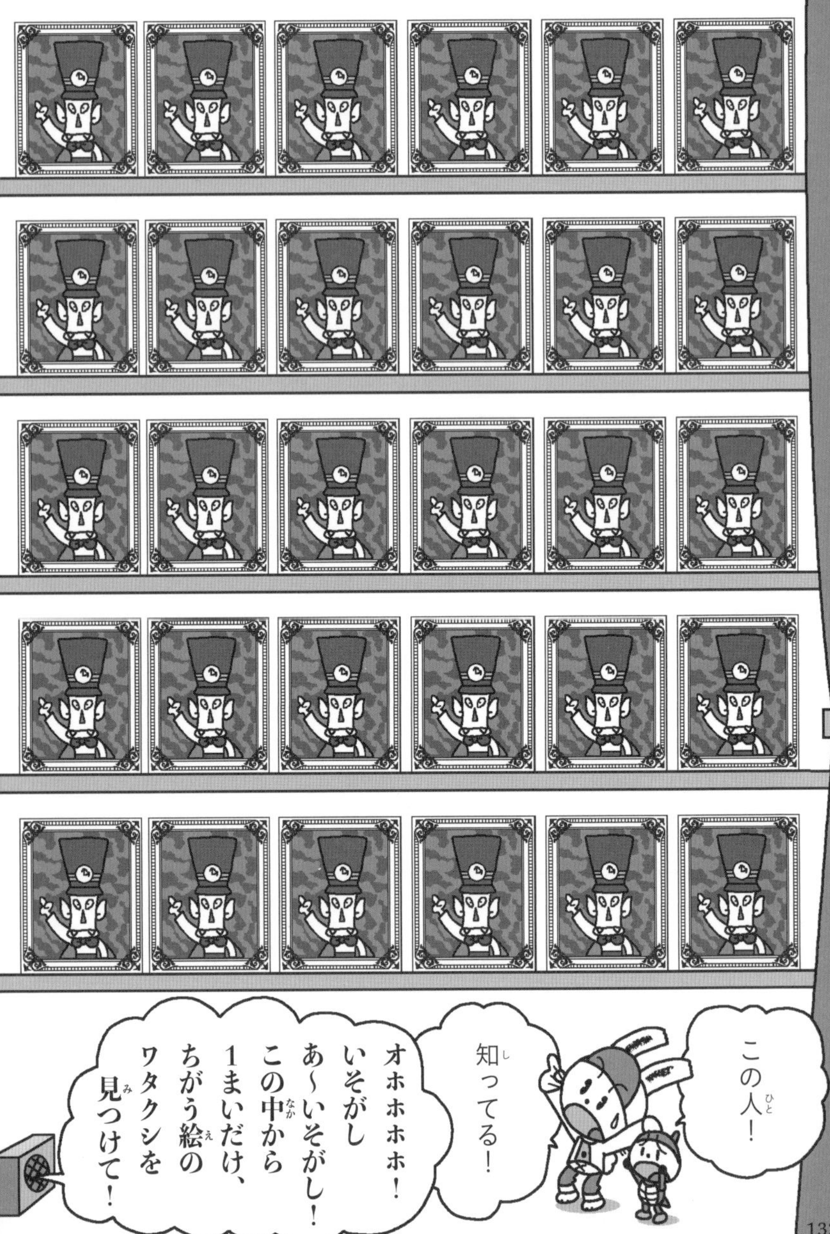
この人！
知ってる！
オホホホホ！
いそがし
あ〜いそがし！
この中から
1まいだけ、
ちがう絵の
ワタクシを
見つけて！

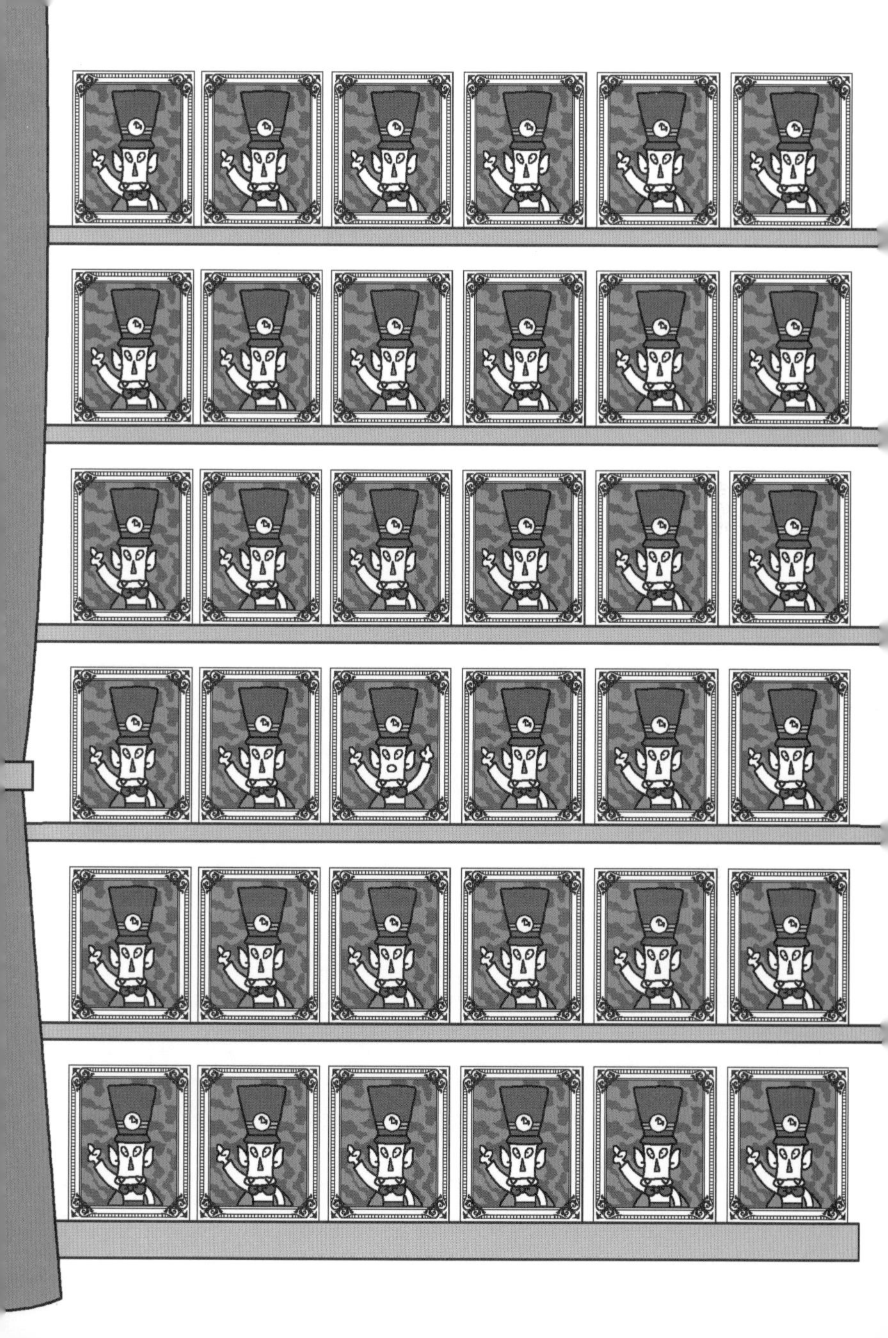

ここはトイレ…

でも、なんだかブキミでしょ？
なにかが見(み)えちゃってなあい？

さあ、まちがいさがしだよ！

右の絵と左の絵では、ちがうところが **5 こ**あるよ。さがしてね。

ぴょこたん、こわいよぉ！
おちついて〜カメたん！
ガタッ
わわわドアが！
ギーッ
ワー！
ウワママ。。
どうしたの！

いそがしいそがし！やんなっちゃいますわ
あ？
その声
あらま、ぴょこたんたち
やっぱり！
ドラキュラさん！
うらモードの学校へようこそ
Nice to meet you.
ブンブン
うらモード？
なーんだ！
ハイ。
そう！うらモード。そしてワタクシ、英語の先生なのでーす！
Let's hurry!

2こ
まちがい
さがせ！
英語
ドラキュラ先生
HP530
とくい・・・はつおん
しゅみ・・・きゅうけつ
すき♡・・・ひるね
つよさ☆★★★★
英語
ドラキュラ先生
HP530
とくい・・・はつおん
しゅみ・・・きゅうけつ
すき♡・・・ひるね
つよさ☆★★★★
ワタクシいそがしいので、さっそく英語のじゅぎょうをはじめちゃうけどいいかしらん？
イエス、イエース
わかるかしら

lesson8 Mr.Dracula
A エイ
B ビー
C スィー
D ディー
E イー
F エフ
G ジー
H エイチ
I アイ
J ジェイ
K ケイ
L エル
M エム
N エヌ
O オウ
P ピー
Q キュー
R アール
S エス
T ティー
U ユー
V ヴィー
W ダブリュ
X エクス
Y ワイ
Z ズィー
オホホ、ちょっと むずかしいかもね！ まずはアルファベットを おぼえるのよ
エー
ハイ、いそがし いそがし！ おぼえたら、つぎ！

D ディー
Q キュー
P ピー
J ジェイ
B ビー
E イー
V ヴィー
F エフ
M エム
C スィー
K ケイ
いいこと？ ABCのじゅんばんに進むのよ。わすれたら前を見て～
H エイチ
B ビー
A エイ
スタート
D ディー
G ジー
F エフ

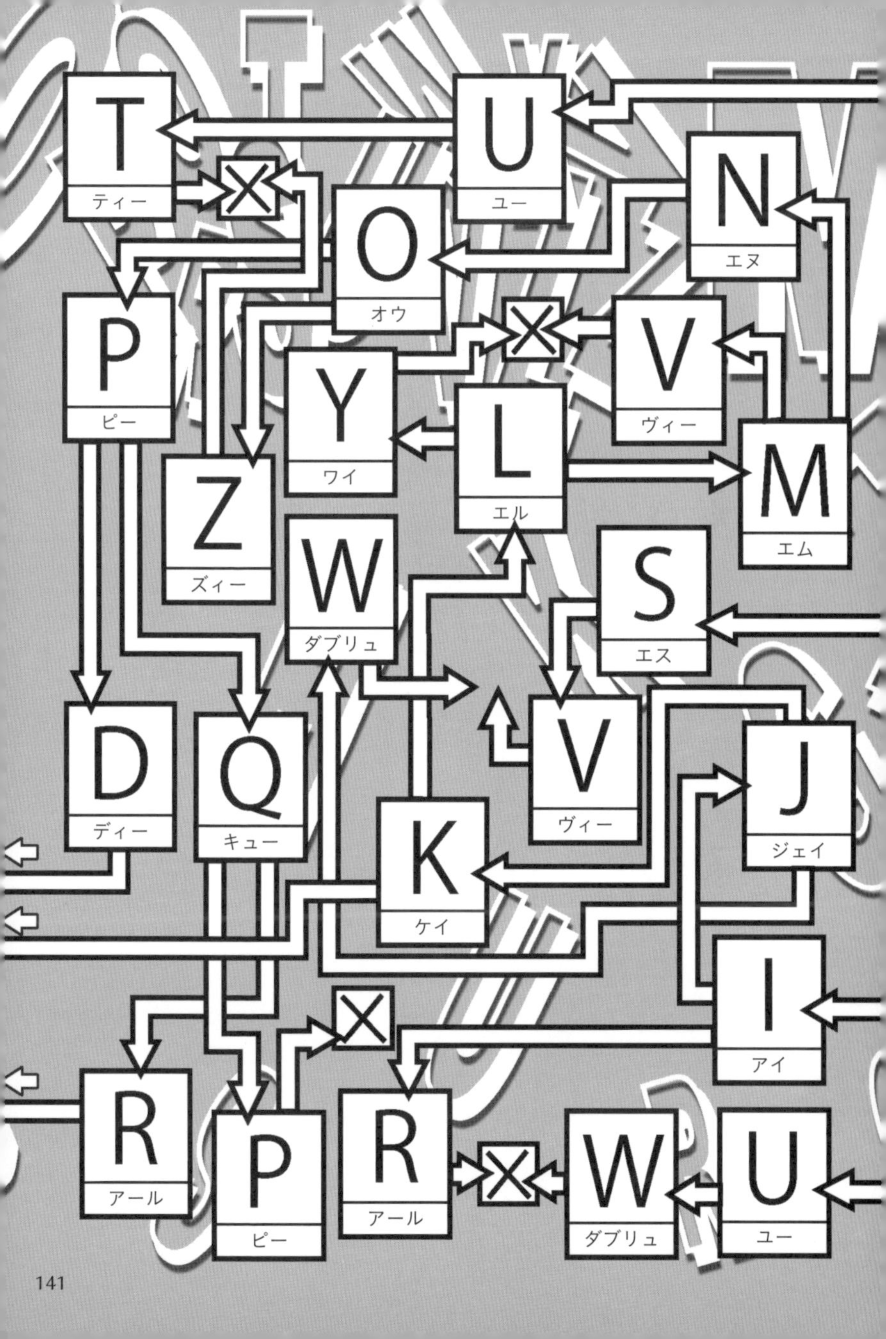
T ティー
U ユー
N エヌ
O オウ
P ピー
V ヴィー
Y ワイ
L エル
M エム
Z ズィー
W ダブリュ
S エス
V ヴィー
D ディー
Q キュー
K ケイ
J ジェイ
I アイ
R アール
P ピー
R アール
W ダブリュ
U ユー

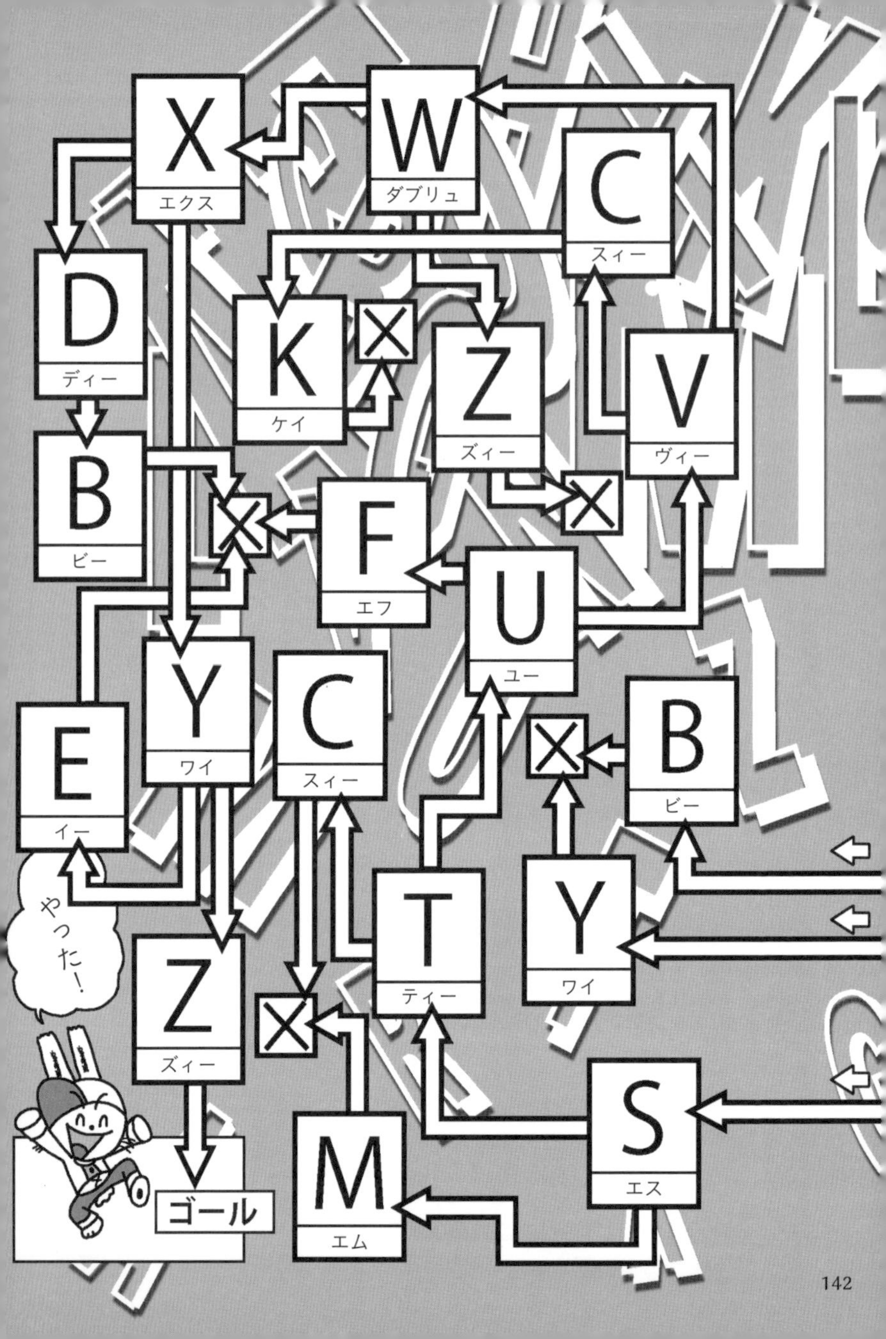

X
エクス
W
ダブリュ
C
スィー
D
ディー
K
ケイ
Z
ズィー
V
ヴィー
B
ビー
F
エフ
U
ユー
E
イー
Y
ワイ
C
スィー
B
ビー
やった！
T
ティー
Y
ワイ
Z
ズィー
S
エス
M
エム
ゴール

やるじゃな～い！
やるじゃな～い！
ぬ？
ピョン
ぬ？ ぬぬぬ？
ピョン
ピョン
ピョン
ちょっとぉ！
あなたたち、
どこいくのっ？
ピョン
ピョン
ピョン
ピョン
ピョン
キーッ！
ぴよこたん
おねがい。
つかまえてっ！
キー
ピョン

アルファベット
じゃない子が、
7ひきまぎれてるワ。
見つけだして
ちょーだい！
またか…
P
Y
N
S
M
L
U
R
V
Z
G
X
W
ひさしぶり
だな〜
ヨッ
カッパの
ボウィ！

まだおわってないわよーっ
いこいこ
いいの？

ワシはカッパだけに
すいえいの先生なんだな〜。
水に入る前に
ここでもまずは、
なぞなぞするんだな〜！
3こ
まちがい
さがせ！
水泳 カッパボウィ先生
HP5020
とくい・・・クロール
しゅみ・・・エキストラ
すき♡・・・キュウリ
つよさ★★★★★
水泳 カッパボウィ先生
HP5020
とくい・・・クロール
しゅみ・・・エキストラ
すき♡・・・キュウリ
つよさ★★★★★

81
リズムがビンビンひびいてくる・・いたって、なーに？
82
びしょびしょできるふくって、なーに？
83
とてもしんどいおよぎかたって、なーに？
84
学校の中でいちばん水が多いところ、なーに？

ミニミニ☆まちがいさがし

見本

１から９の絵には、
見本とちがうところが
なんこずつあるかな？
それぞれ数を答えて。
見本と同じものも
まぎれているぞ！

1

3

2

4

5

6

7

8

9

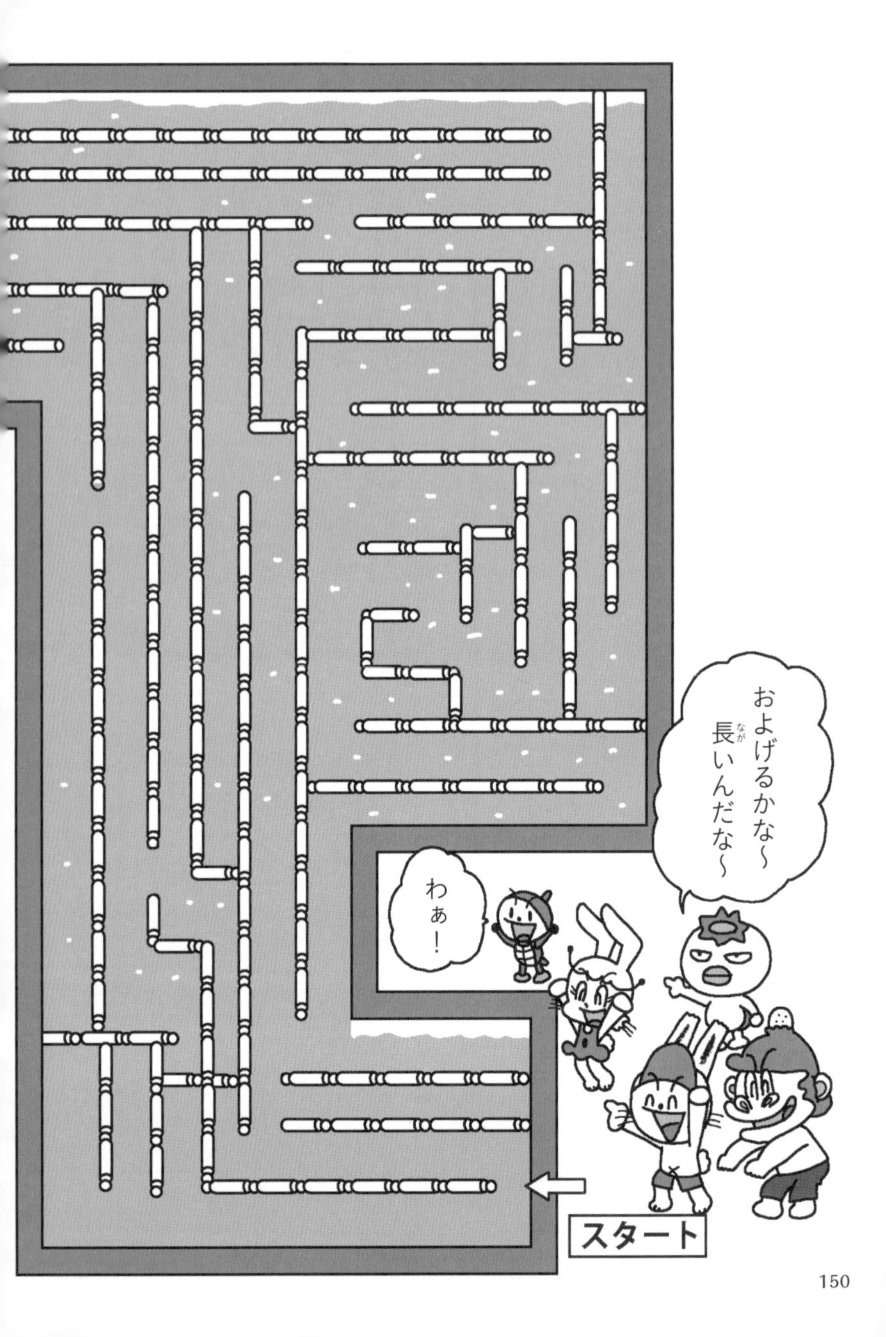
およげるかな～
長いんだな～
わぁ！
スタート

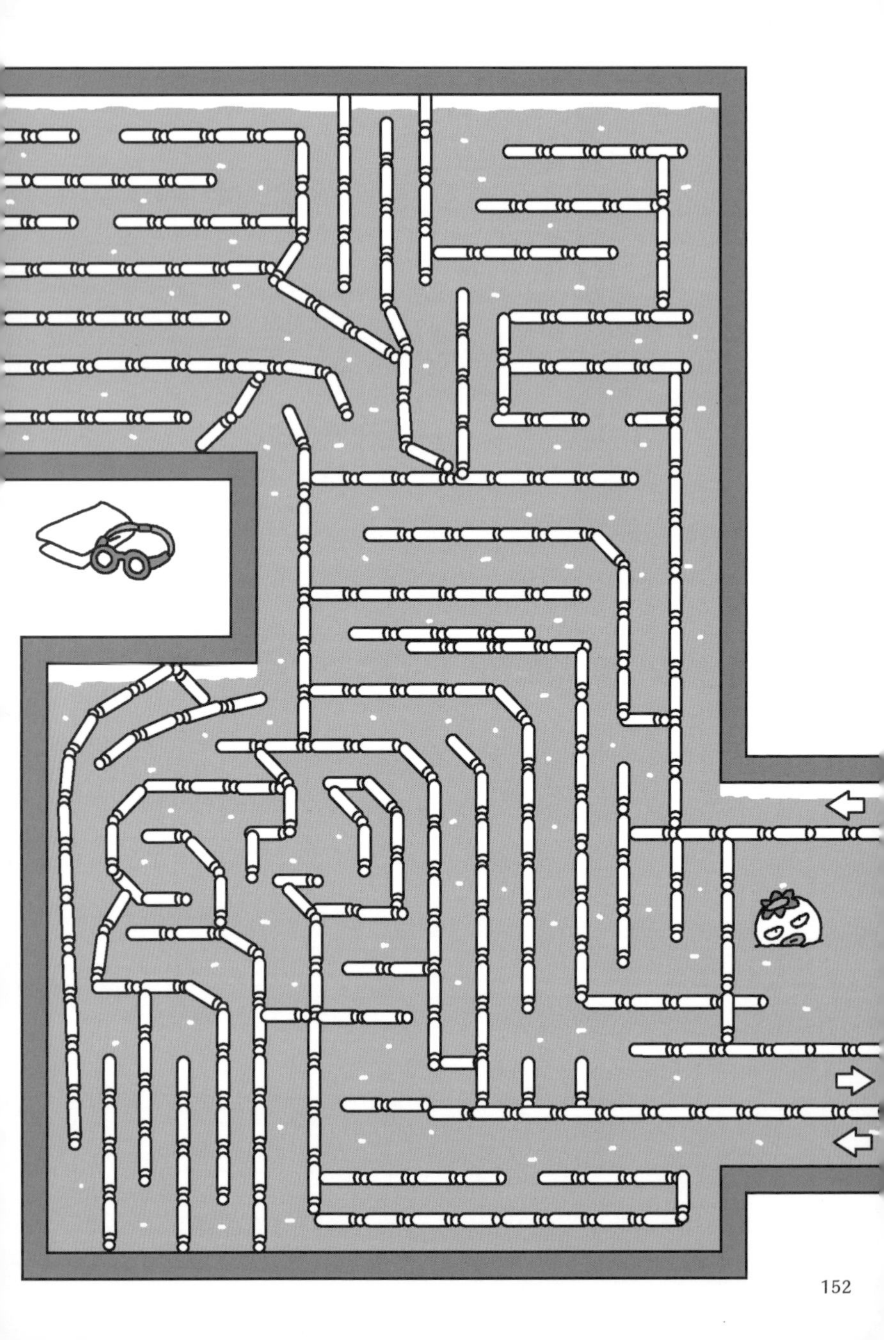

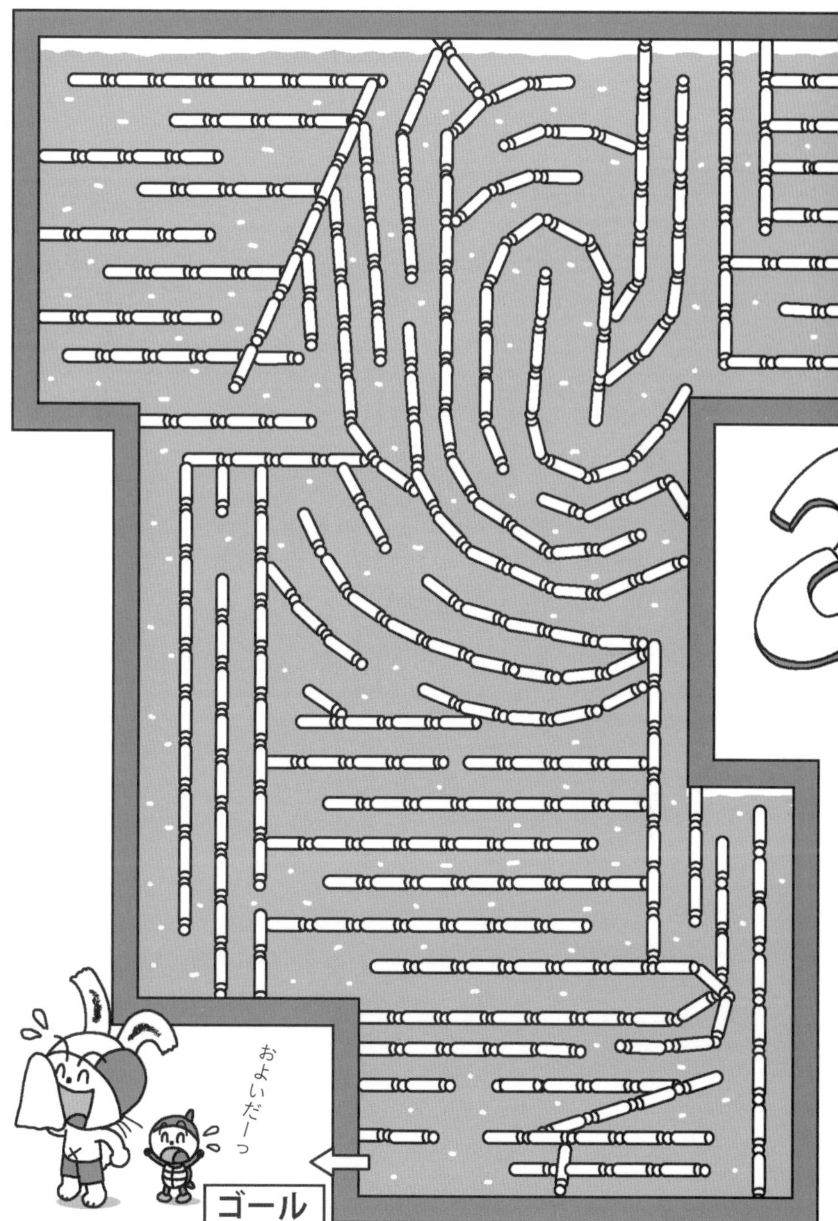
およいだーっ
ゴール

あれぇ？
ぼくの
タオル
知らない？
プールはいいいねぇ
これ、
どーぞ☆
ありがとさん
いえいえ
ミイラさん！
ゲッ
ここ
ほんとに
学校か？
うらモード
なのよね
ミイラ先生は
なんの
先生なの？
うん！
ぼくは生活科の
先生をして
いるんだよ～。
きてきて！

3こ
まちがい
さがせ！
生活 ミイラ男先生
HP 2050
とくい・・・やさいづくり
しゅみ・・・まちたんけん
すき♡・・・ほうたい
つよさ☆★★★★
生活 ミイラ男先生
HP 2050
とくい・・・やさいづくり
しゅみ・・・まちたんけん
すき♡・・・ほうたい
つよさ☆★★★★
生活科といえば、「町たんけん」っしょ！でかける前に、町についてかんがえてみよう
町についてか～
…て、ことは
きっとアレか…

そのとおり！
まずは
町で見かけるもの
なぞなぞから
スタートだよ！
となりページにも
つづきのクイズが
あるからね
うんうん！
まかせてよ
85
切手や
はがきの歌声が
聞こえそうな
ところ、なーに？
86
いのちをすくう
ばしょなのに、
「どく」とよばれる
人がいるところ、
なーに？
87
とてもせまい
ところを走ってくる
車って、なーに？
88
二十四時間
あいているのに、
「夜におねがい！」と
たのまれているような
ばしょ、
なーに？

その人を☆さがせ！

右ページのなぞなぞの答えとかんけいがあるのは、それぞれ下のどの絵の人かな？

lesson10　Mr.Mummy man
町たんけん☆めいろ
❶ ❷ ❸ ❹
ニコマート
じゃあ、しゅっぱつ！
上の絵のたてものを
❶から❹まで
じゅんばんに
とおってね
スタート

大感謝祭
大感謝祭
ゴール
まだまだいくぞ

スーパー☆まちがいさがし❶

上と下で、まちがいを**5こ**さがそう！

スーパー☆まちがいさがし❷

上(うえ)と下(した)で、まちがいを**5こ**さがそう！

花屋さん☆えさがし

下の❶から❺のターゲットを見つけよう！

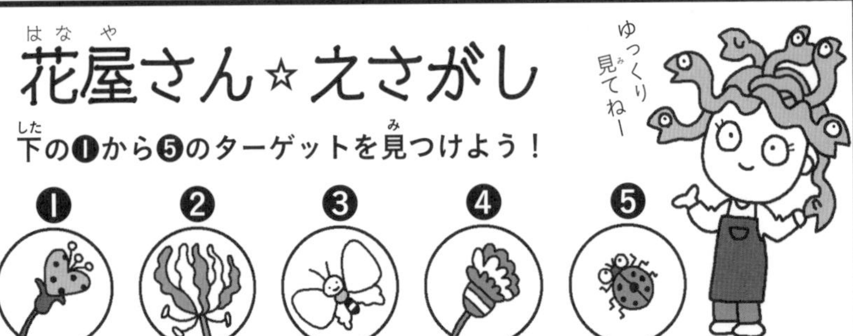

うふふ。
またきて！
はーい！
買いにきまーす

しゅうり☆まちがいさがし

見本と同じ絵を 2 こと、いちばんまちがっている絵を 1 こ見つけよう！

見本

1

2

3

4

5

6

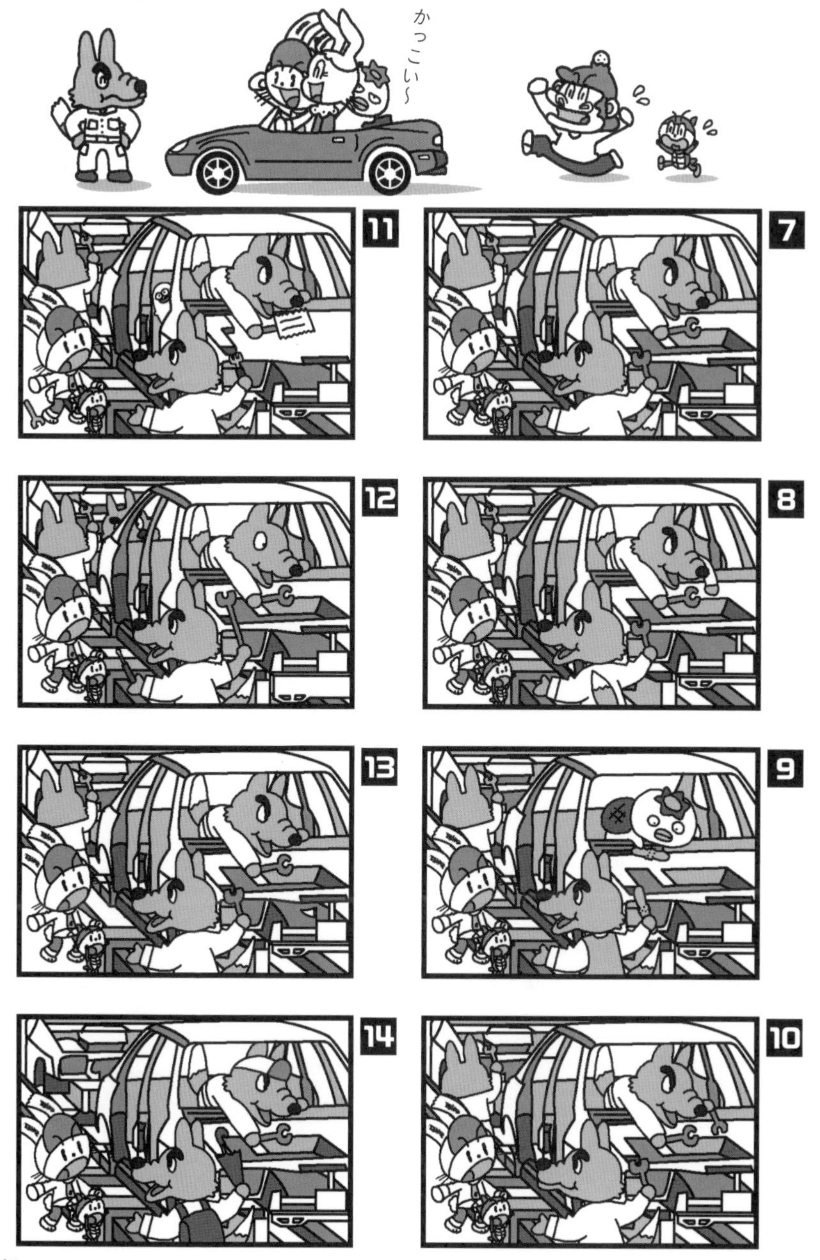
かっこいい〜
11
7
12
8
13
9
14
10

こんどは電気店だね
でんでんストア
広そう
こんにちは！見学にきました
はい、バケタ家電へようこそ～
フワ
フワ…
ここではおもに、みなさんもよくつかっている電化せいひんを、なぞなぞではんばいしております～す。どうです、わかりますか？
89
頭に「ス」をのせたべんりな電話って、なーに？
ス
フムフム
まずは、こちらでございます。

90 電車のとまるところで見る、小さなテレビって、なーに？
91 食べものと電気を食べて、こおらせるもの、なーに？
92 夏はつめたく冬はあたたかいいきをはきだすキツネって、なーに？
93 ブタがさかだちして作るうすくて小さなコンピュータって、なーに？
94 人やふうけいをたくさんおぼえているカメって、なーに？

省エネ
わあ、いろんなものがあるね!
95
えんぴつで文字が書けそうなパソコンって、なーに?
明
らくらく
96
大きな口で水とようふくをのみこんで、はたらくもの、なーに?
97
車にすんでいる、道あんないがじょうずなカラスって、なーに?
おすすめ!

ビッグフ
新モデル
ビッグ！
98
しっぽから
電気をすって、
しっぽのない
きかいにわけて
あげるもの、
なーに？
広告の品
99
おせるけれども
1文字も読めない、
入口にある
本って、
なーに？
100
お米をたくとき、
「それでは」と
いうもの、
なーに？
101
おなかの中で
ものをあたためて
「チン」となくもの、
なーに？
チン

町たんけん、おもしろかったね！
でもミイラ先生とはぐれちゃった〜

あ！ゲーム買ってる！ずるいずるい！

む！
かして！かして！かして！

ゲームじゃないの…？
！
このメカのメッセージによれば、いそがないと元の学校に帰れなくなるそうなんだな〜
ズーン
メカってなに？

えーっ！
どうすれば
帰れるの？
みる？
そうじ
どうぐ入れ！
それがどこか
わかんないよ…
ンガンガ
ンガガーッ
あっ！
ガガーン
このあな
から
いけるん
だな～
これ先生に
わたしといてね

帰り道めいろ、
いくぞーっ！
スタート

マークに
ジャンプ

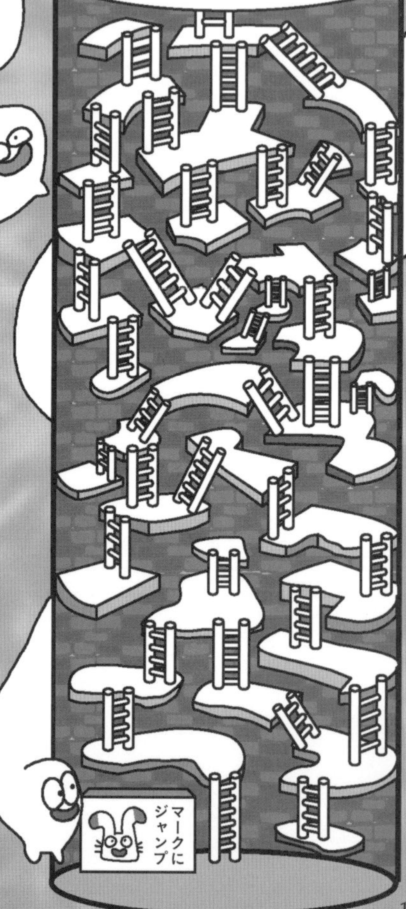
マークに
ジャンプ

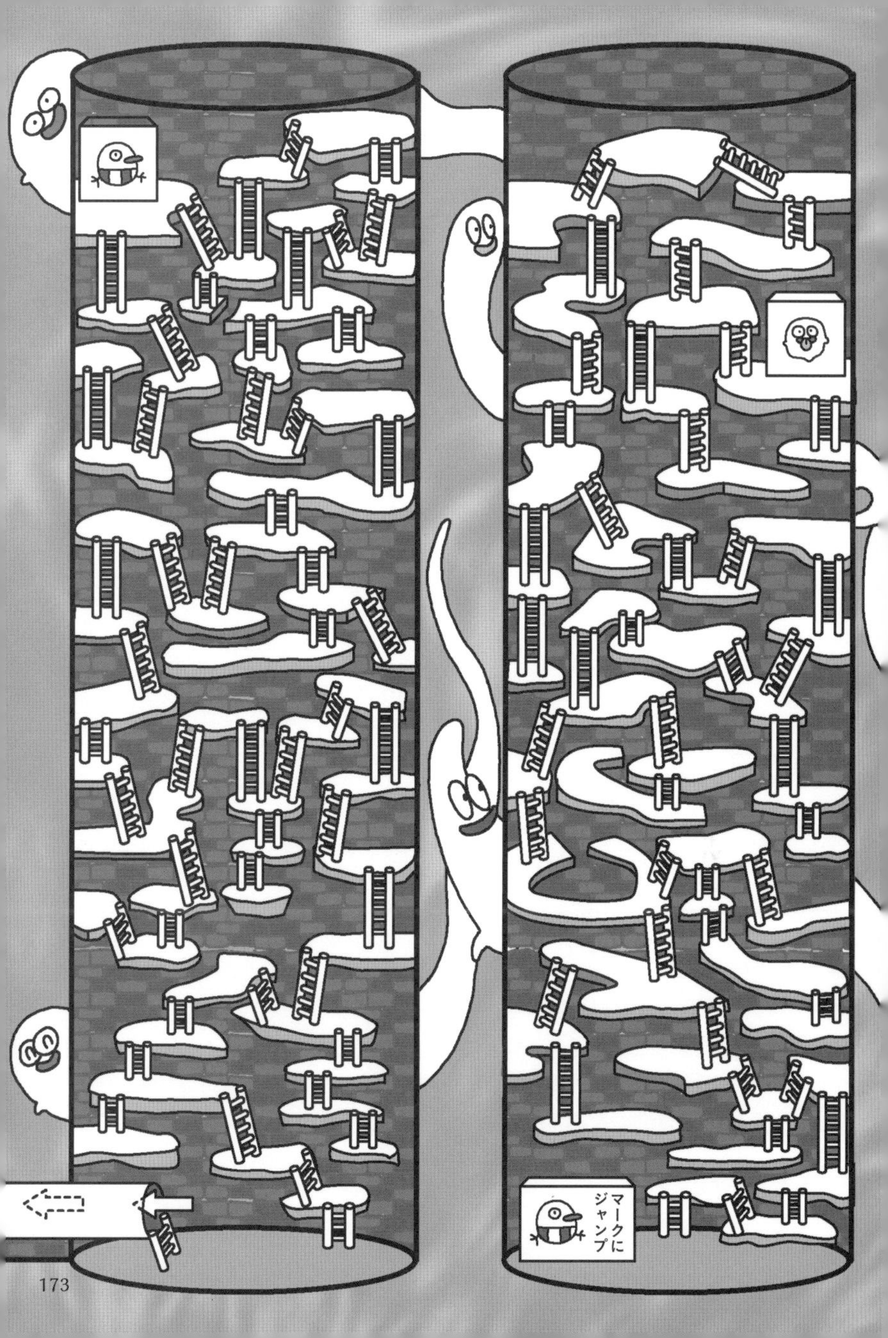
マークにジャンプ

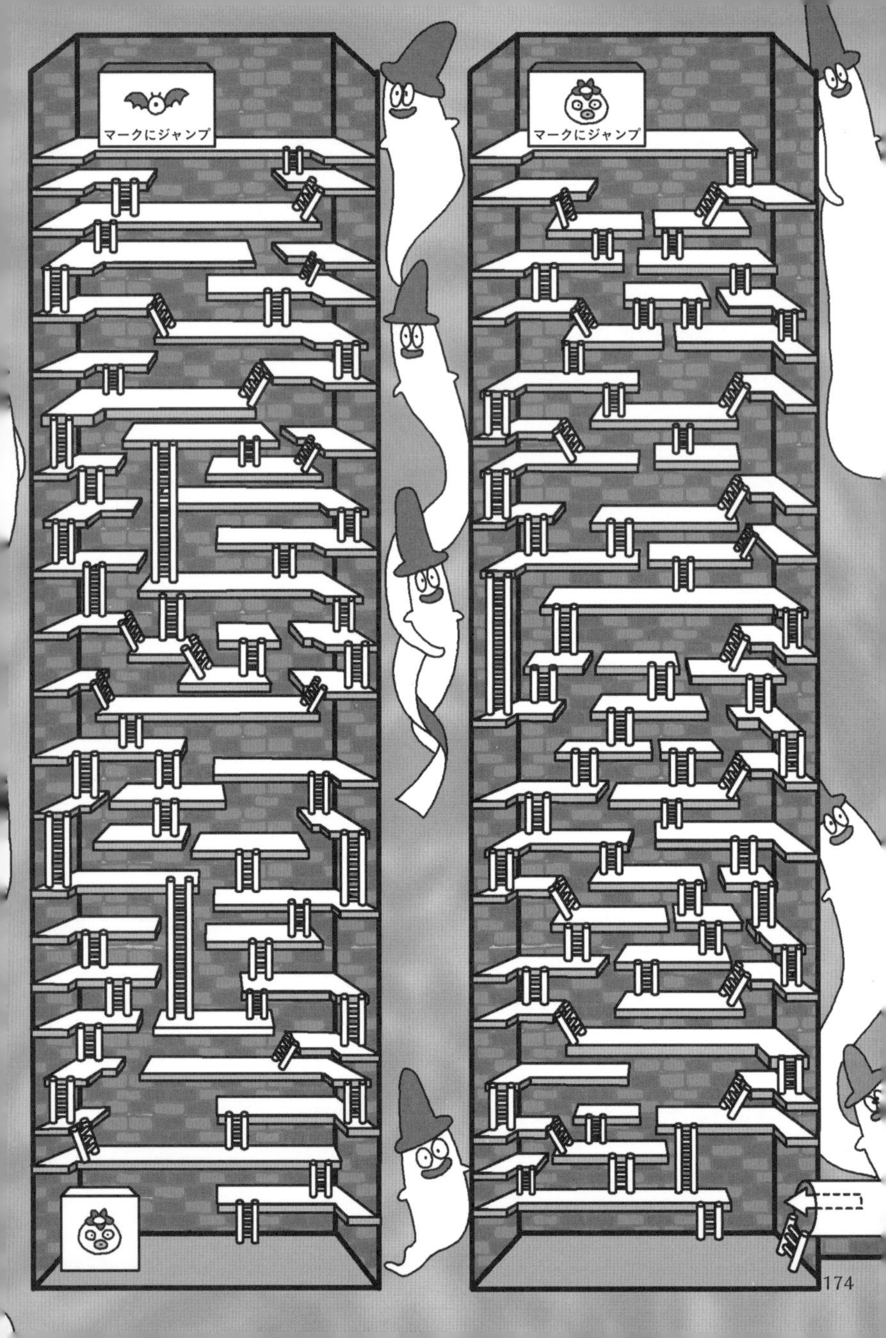
マークにジャンプ
マークにジャンプ

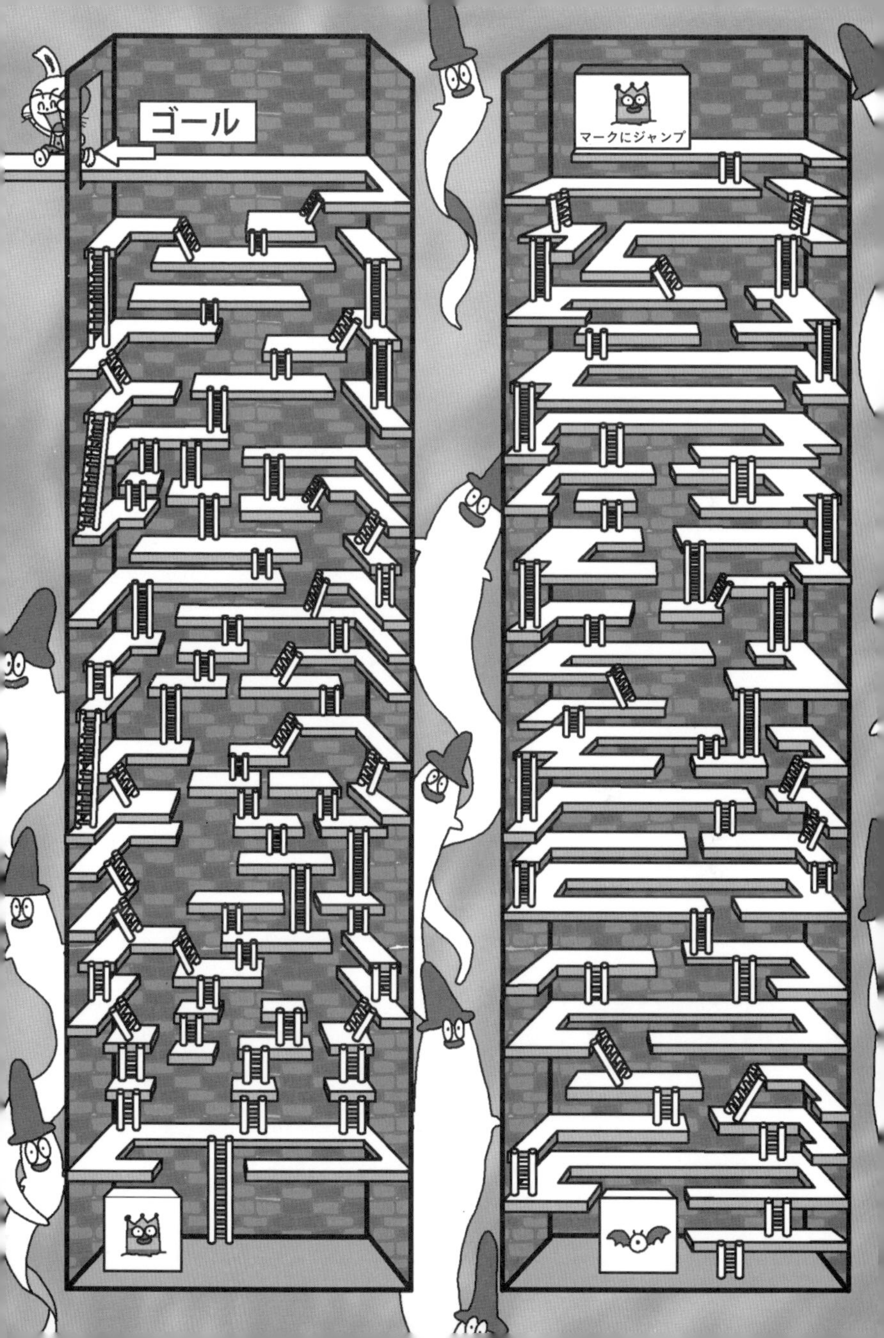
ゴール
マークにジャンプ

あっ！
あの光が
出口じゃない？
ピカーン
！！
おっ？
なんでみんなして
そんなとこ
入ってるんだ
やったあ！
なんとか
帰ってこれたよ
たいけん入学の
さいごは…
なになに？
？

みんなで遠足に でかけよう！
ヤッター！
どこかな～？
ゆうえんち？
どうぶつえん？
わあい わあい
遠足でいくのは「やまの山」の山だ！
みんなで、山のぼりするぞ～
しっかり ついてこいよ！
やまのやまの…？
山のぼりだって！
どんな 山かな？
いくぞ～！

まずはじめに、
遠足で持っていくものなぞなぞだ！
答えは上の絵の中にあるから、
えらんでリュックに入れてくれ。
ちなみに、おやつは300円までだぞぉ
102
でかけるときは食べもので
まんぱいだけど、
帰りはからっぽのものって、
なーに？

103

山のぼりじゃないときにも
あらわれる
ごはんの山って、なーに？

104

すなはまに
おちていそうな
おやつって、なーに？

105

「とう」とよばれるけど
そんなに高くなくて、
のみものをはこぶ
「とう」って、なーに？

さあ、
それじゃあ
じゅんびは
いいかな？
左右の絵を
まちがいさがし
しながら、
しゅっぱつだ。
わすれもの、
ないかな〜？

おう！ みんな、ならんでならんで〜

1

左の絵と右の絵では、ちがうところが **4** こあるよ。さがしてみよう！

バスがきたぞ！ じゅんばんにのろう

2

左の絵と右の絵では、ちがうところが **2** こあるよ。さがしてみよう！

バイバ～イ！ いってきま～す

左の絵と右の絵では、ちがうところが 3 こあるよ。さがしてみよう！

3

わあい！ うたでも、うたおうよ！

左の絵と右の絵では、ちがうところが 3 こあるよ。さがしてみよう！

4

よぉし！
とうちゃーく！
ヤッター！
はーい！
みんな、あつまれ！
ピッピー
オレ、
山のぼり
とくいだぜ！
先生、ここが
やまの山の
入口ですか？
イヤッホー
いや！
まずは
「かわの川」の
めいろをわたって
からだ。
いってみよう！
スタート

おまけ☆えさがし
❶から❻のターゲットもさがそう！
❺
❻

ついた！
ゴール
❶
❷
❸
❹

先生！川のカエルもゲットしました
ははは！カエルをつれて、山のぼりかぁ？

ワァ
……。

ここからがやまの山のめいろだ！
カエルはおいていけー！
スタート

ヤッホー！
ゴール

ばんざい！
やった〜！
つかれたぁ…
でも、気持ちいいい！
遠くまでよく見えるね
よくがんばったな！おべんとうを食べたら、ちょっとたんけんにいってみないか？
スナック

森たんけん☆なぞなぞかくしえ

❶ ぬれないためにひらくのに、自分がぬれちゃうもの、どこ？

❷ 頭にのるのが仕事だというウシは、どこ？

❸ 雨のときばっかりでかけていくくつは、どこ？

❹ 2本のするどいはで、かまずに切るものは、どこ？

おまけ☆えさがし

キノコが **7こ**あるよ。それもさがそう！

見本とくらべて、

▼2こちがう絵を2つ

▼3こちがう絵を1つ

▼6こちがう絵を1つ

▼すべて同じ絵を1つ

さがしてね〜！

見本

1

2
3
4
5

さいごはめいろで
学校にもどるぞ。
ゴーー!
はーい!
とおいっ
スタート

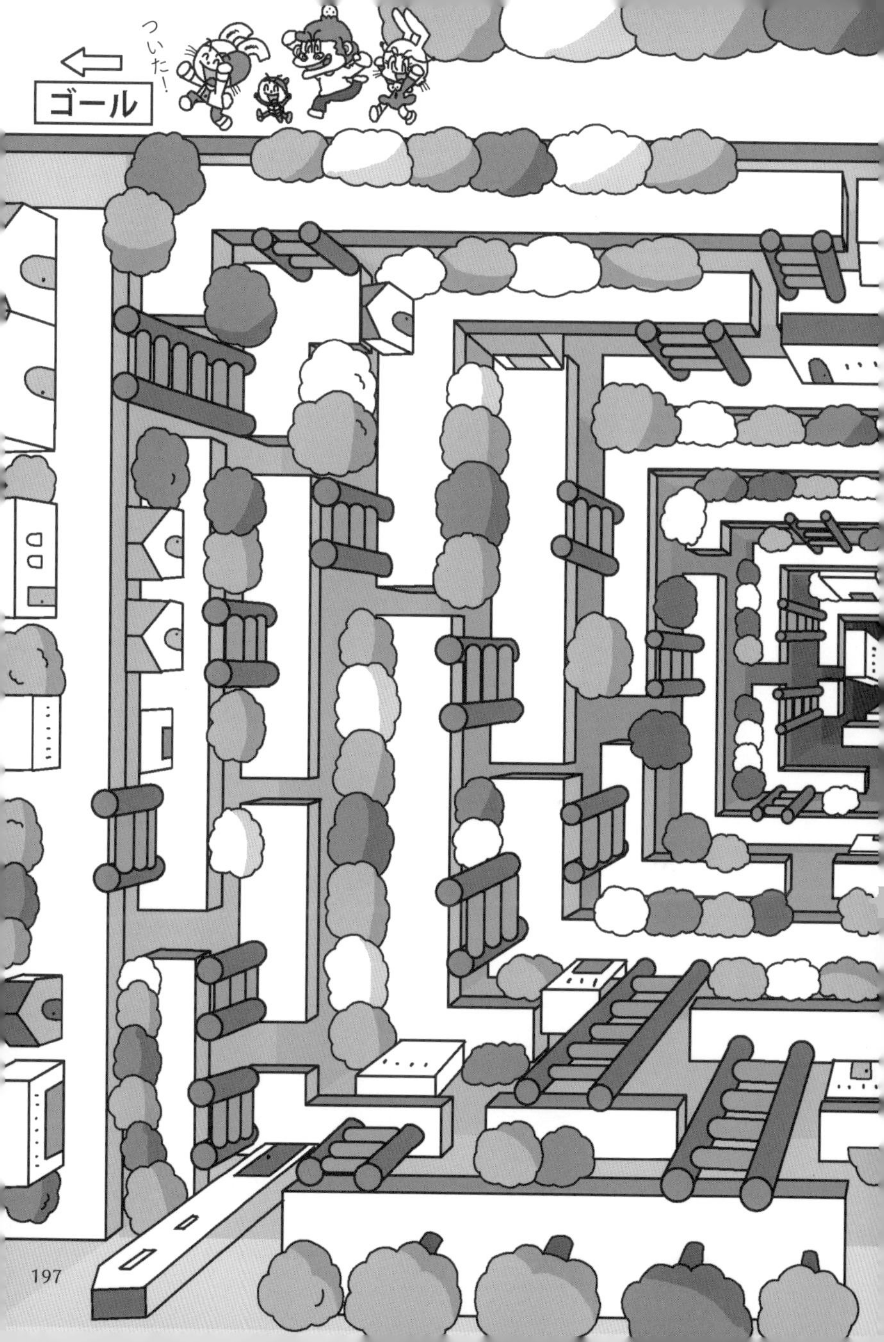
ゴール
ついた!

どうだ～！
たいけん入学はおもしろかっただろ？
また、いつでもきてくれよな！
ハーイ
それでは、おわりの会でさようならしよう…んんっ？
ガタ
ナニ？
ガタ
ガタ
ガタ
ガタ
ガタ

ジャーン！
うらモードも、見おくりにきたぜっ！
いそがし…く、なくなったのよ！
わ！
もんきち!!!
あれ～？
みんな、かくれんぼしてたんじゃないの？
ブ～ン
ドッ
ドッカン
ドッカン
きゃ！
ちょっと、フランケン先生！
きょうはもう帰る時間だよ～
えーっ！

たいけん入学、おっしまい！

ほんとうにおもしろい学校だったよ！
きっとまた、あそびにくるからね。先生たち、バイバーイ！

さあ、ラストは、まちがいさがし！

右(みぎ)の絵(え)と左(ひだり)の絵(え)で、ちがうところを**5こ**見(み)つけてね。

p8 p7

p4・5

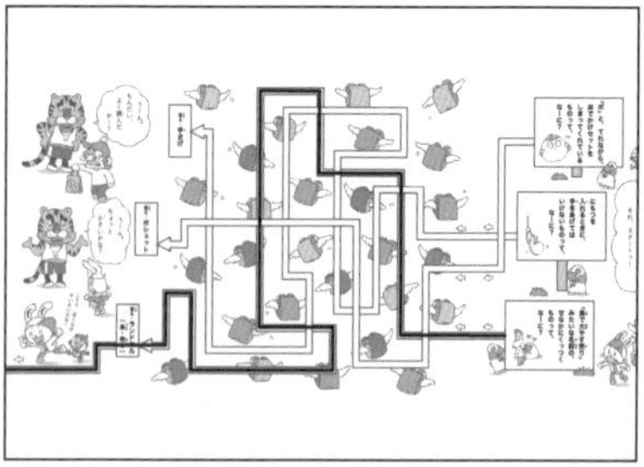

なぞなぞの答え

p13 ↓
1 ものさし 2 絵のぐ 3 ノート 4 リコーダー（りこうだ） 5 教科（今日か！）書 6 ねん土

7 下じき 8 えんぴつ 9 けしゴム

p22 ↓
10 つくえ（付く絵） 11 ろうか（ロウか） 12 かいだん（会談） 13 いす

14 校門（肛門） 15 くつばこ 16 花だん 17 うわばき 18 屋上（億・上） 19 たいいくかん

p35 ↓
20 しょうどくえき 21 体重計 22 ベッド 23 たいおん計

p42 ↓
24 ピアノ 25 もっきん（木・金） 26 ハーモニカ 27 カスタネット 28 タンバリン（ばりん！）

p79 ↓
29 よだれ 30 うきわ 31 こおり 32 空豆 33 たまねぎ 34 のり（ノリノリ） 35 しびれ 36 クジラ

37 アリ 38 そうじき 39 ぼんやり 40 ウグイス 41 ねぼう 42 ようこそたのしくあそぼうね

p89 ↓
43 じゅんび運動 44 運動じょう（うん・どうじょ） 45 運動ぐつ 46 運動会（貝）

p96 ↓
47 サッカー 48 バスケットボール 49 やきゅう 50 ボウリング 51 テニス

p104 ↓
52 目玉やき 53 サンドイッチ（3度1） 54 やきそば 55 太り 56 ピザ（座） 57 ホットドッグ

58 ハンバーガー（半バカ） 59 サラダ（皿だ） 60 ぎゅうにゅう（ニュー）

61 カレーライス（かれら・イス） 62 プリン（ぷりんぷりん）

p110 ↓
63 校歌（硬貨） 64 テスト（手・スト）の日 65 つうちひょう 66 みちくさ 67 すなば

68 ブランコ 69 すべりだい 70 （校庭の）トラック

p114 ↓
71 ほうき 72 ぞうきん 73 モップ 74 ちりとり 75 バケツ

p128 ↓
76 雪だるま 77 花火 78 せっけん 79 カッター 80 のこぎり

p147 ↓
81 ビートばん 82 水着 83 クロール（くろうする） 84 プール

p156 ↓
85 ゆうびんきょく（曲） 86 びょういん（ドクター）

87 きゅうきゅう車 88 交番（乞う晩）

p166 ↓
89 スマートフォン 90 えきしょう（駅・小）テレビ 91 れいとうこ 92 エアコン

93 タブレット 94 カメラ 95 ノートパソコン 96 せんたくき 97 カーナビ 98 じゅうでんき

99 インターホン 100 すいはんジャー（じゃあ） 101 電子レンジ

p178
↓

102 **べんとうばこ**

103 **おにぎり**

104 **スナックがし**

105 **すいとう**

p157

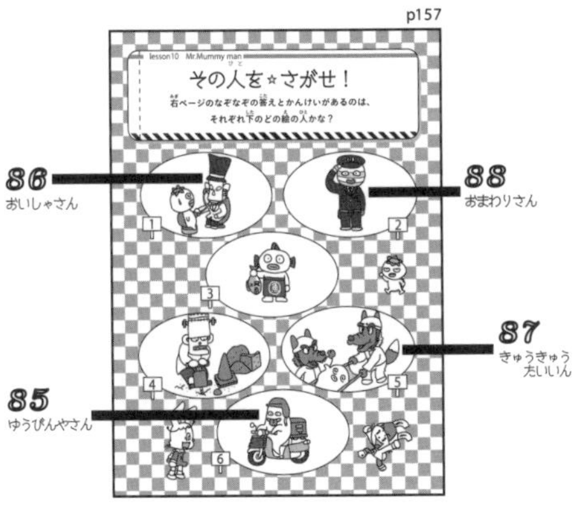

p10

p18

p16・17

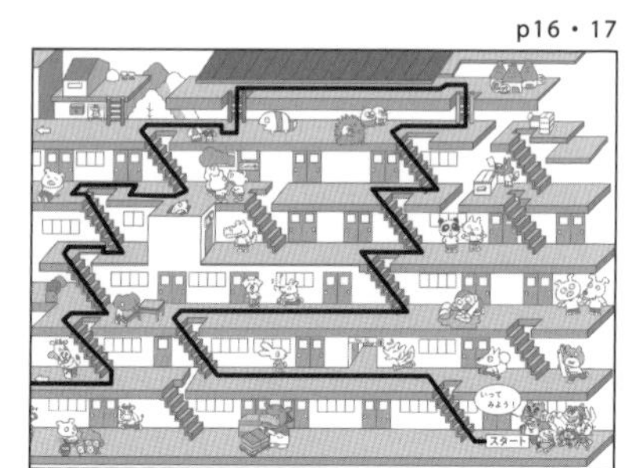

p28・29

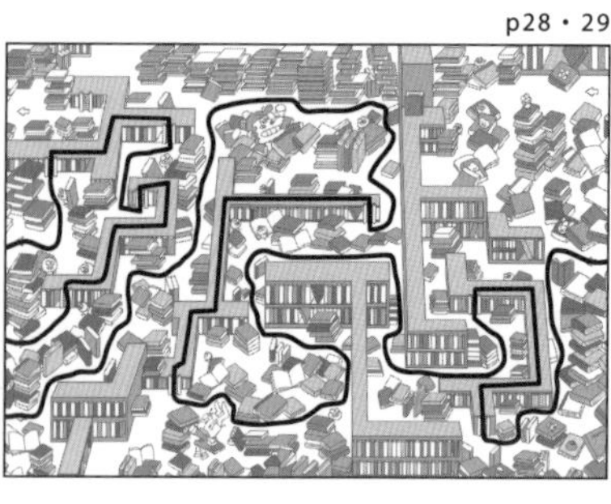

p27

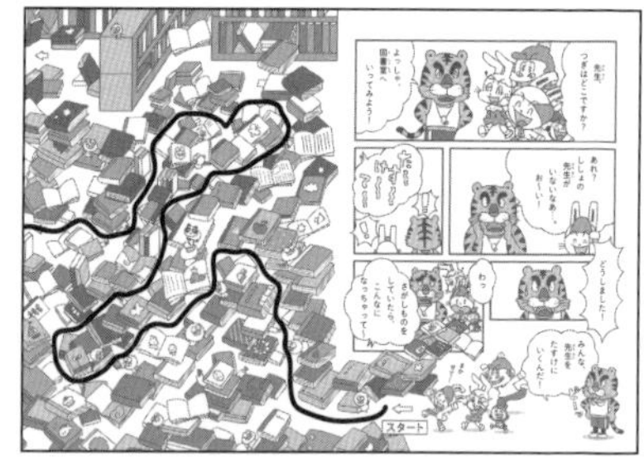

p32・33

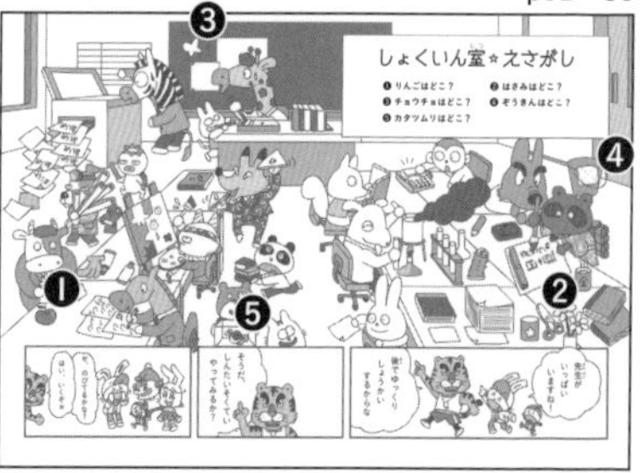

p30・31

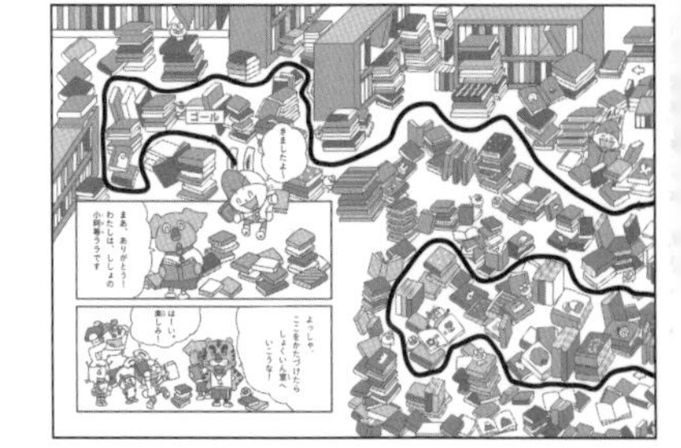

p38・39

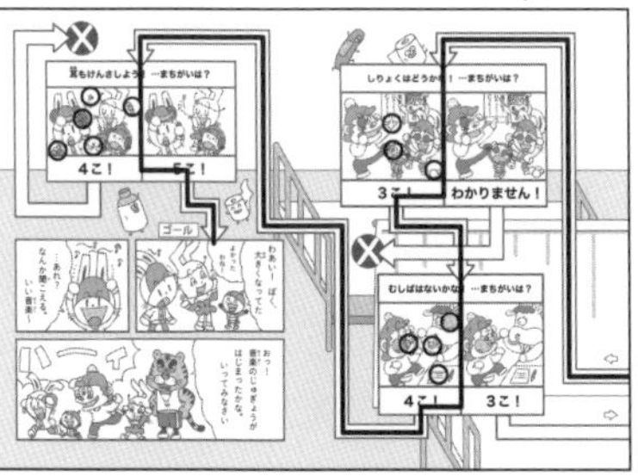

p36・37

p44・45

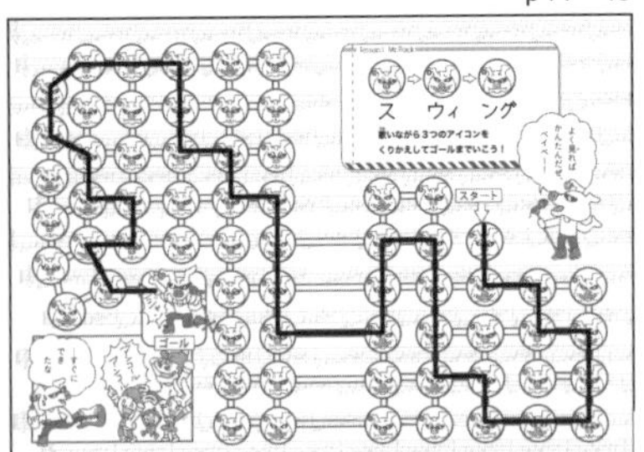

p41

p49　p48

p46・47

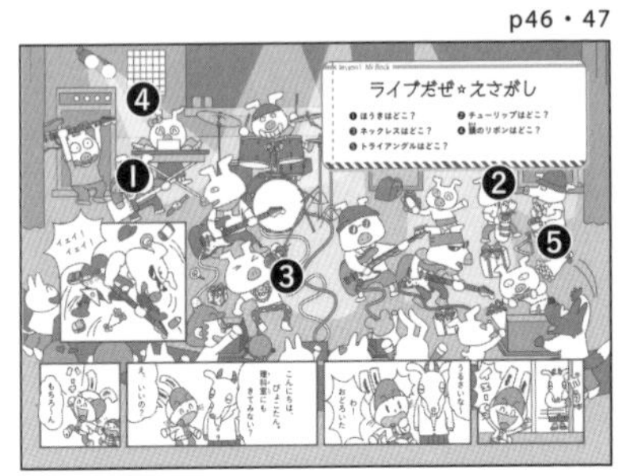

p52・53

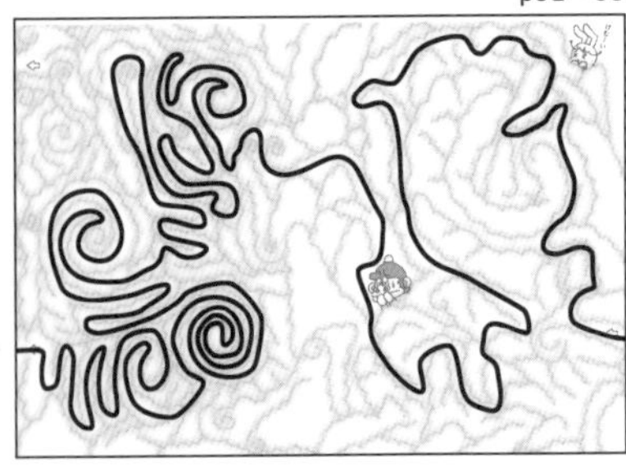

p51

p58・59

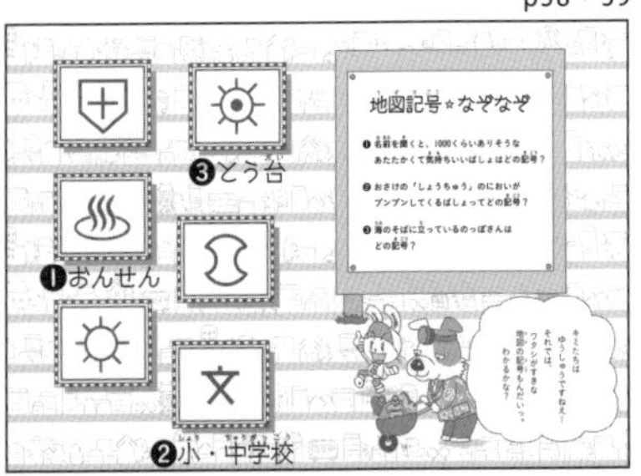

p56・57

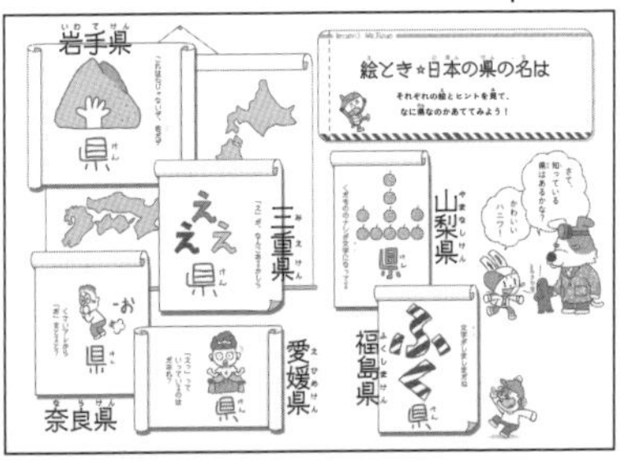

p55　p54

社会　古代地津夫先生

HP520

とくい・・・ちり
しゅみ・・・りょこう
すき♡・・・ふるいもの
つよさ

ゴール

p63　p62

p60・61

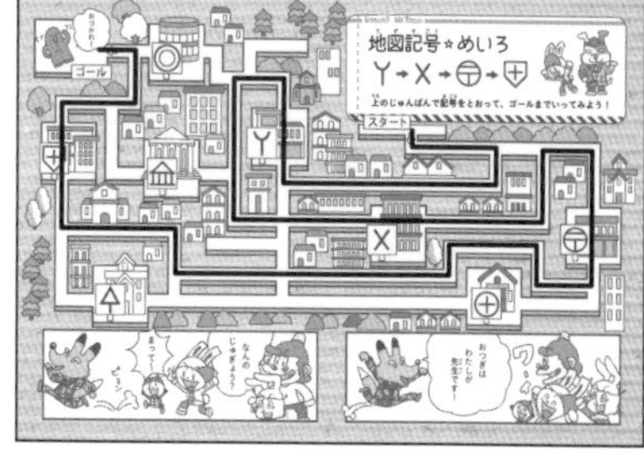

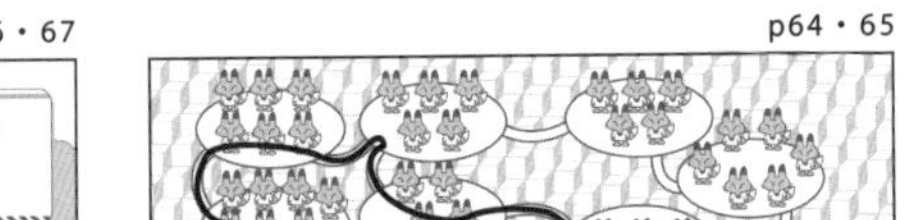

p66・67

❶9ひき ❷7ひき ❸46ひき

p64・65

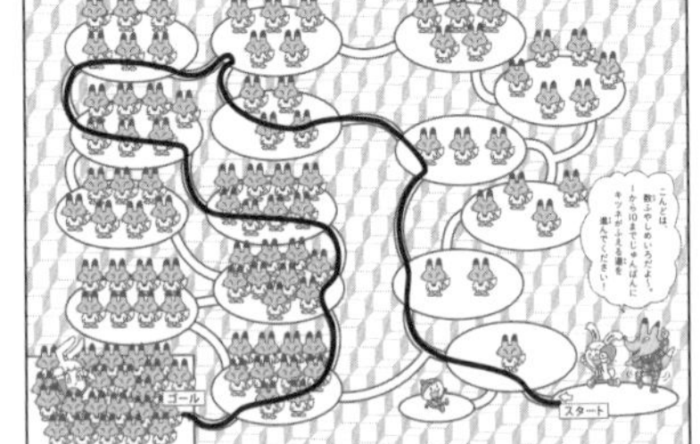

p68

p72・73

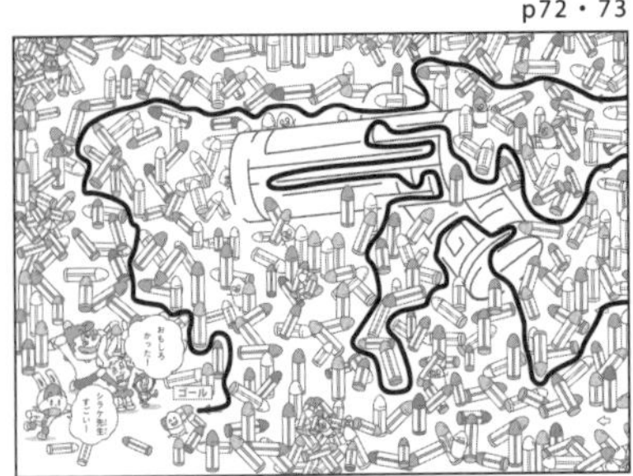

p70・71

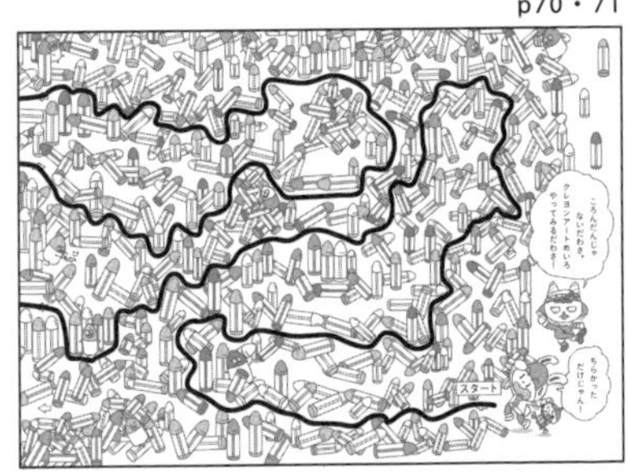

p76・77

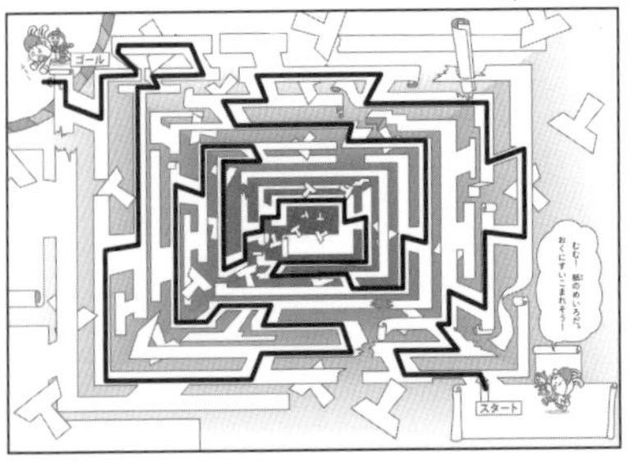

p74

p84・85

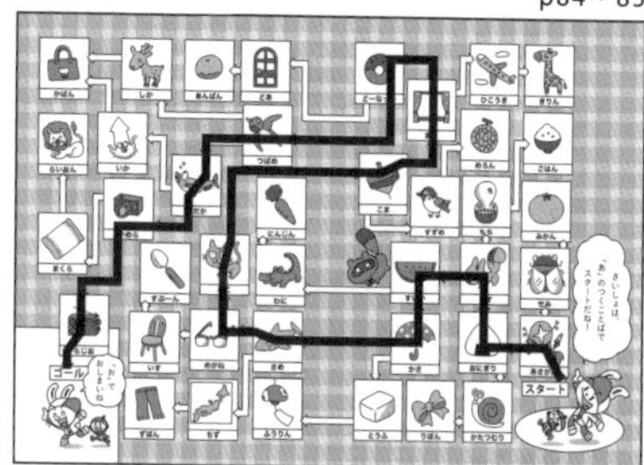

p78

p88

p86・87

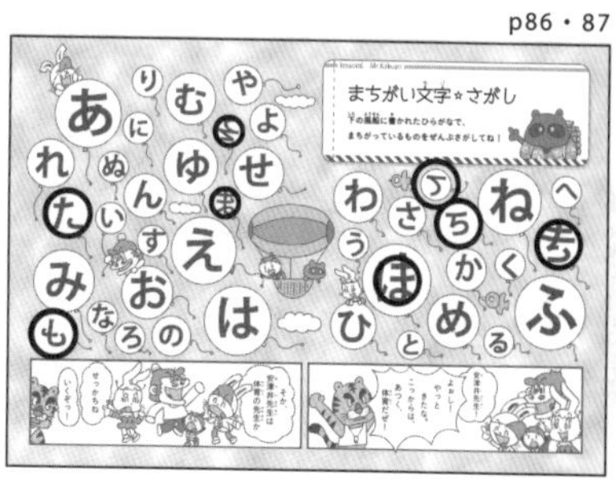

p92・93

p91

p98・99

p94・95

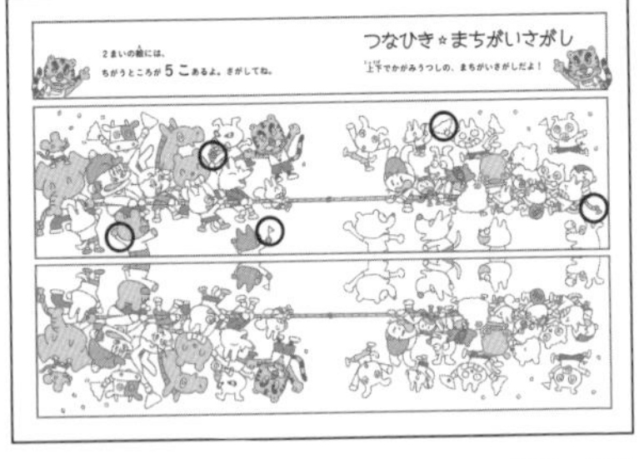

p106

p100・101

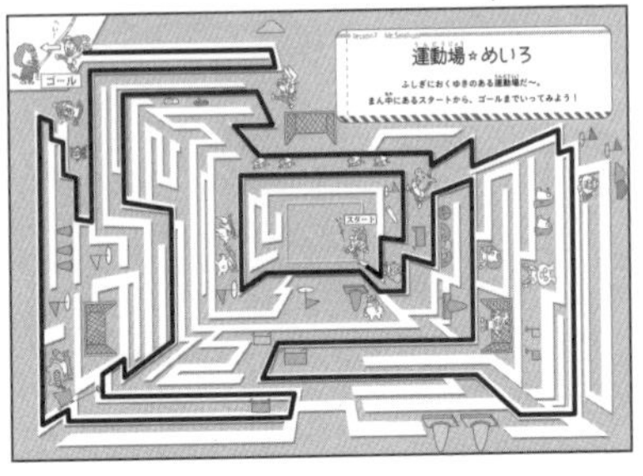

p109

p122・123

p118・119

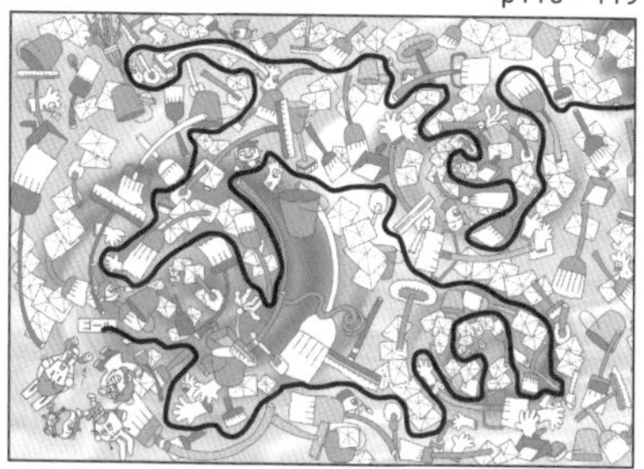

p117

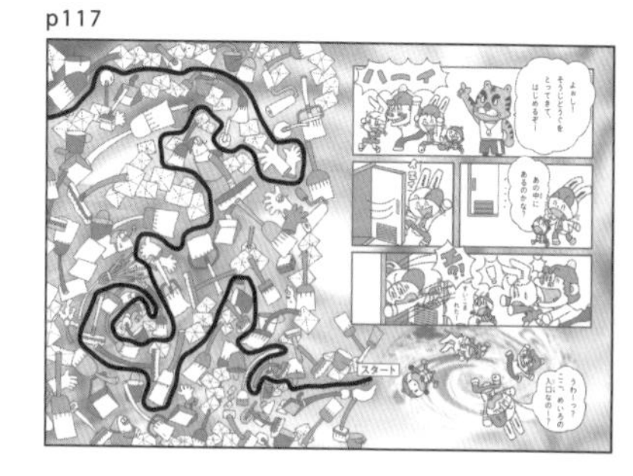

p126・127

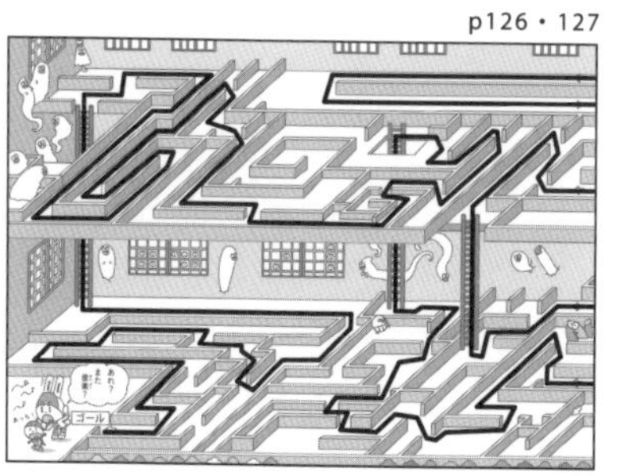

p124・125

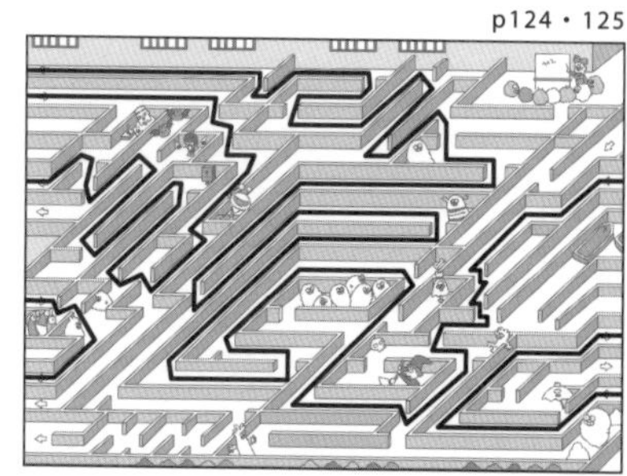

p130・131

p132・133

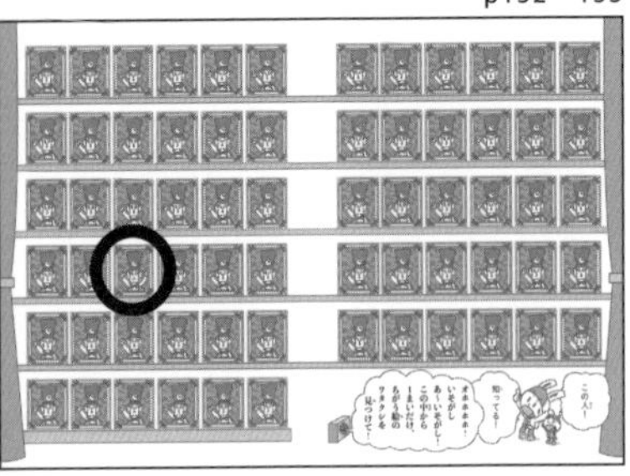

p135

p138

p140・141

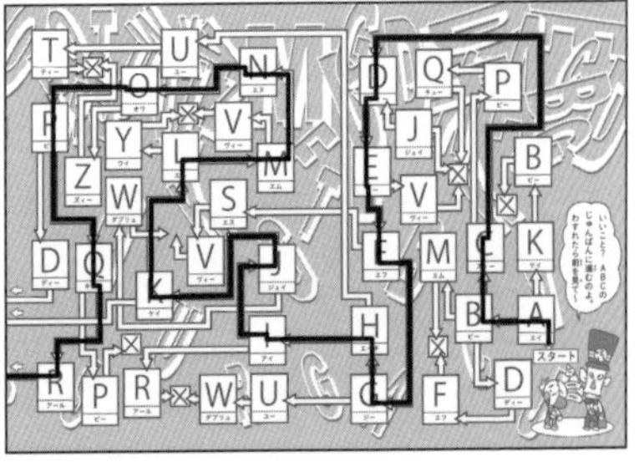

p142

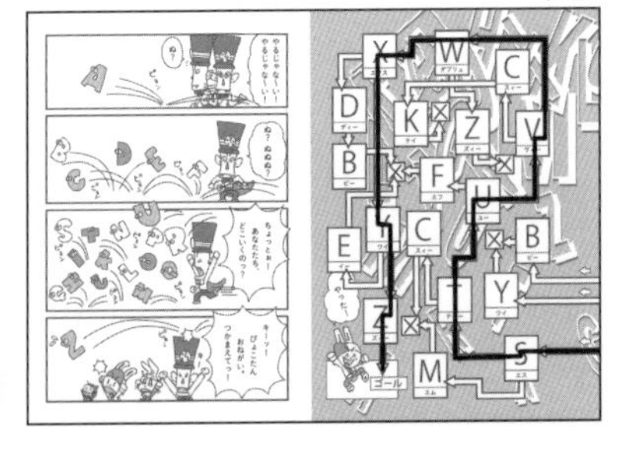

p146

p144・145

p148・149

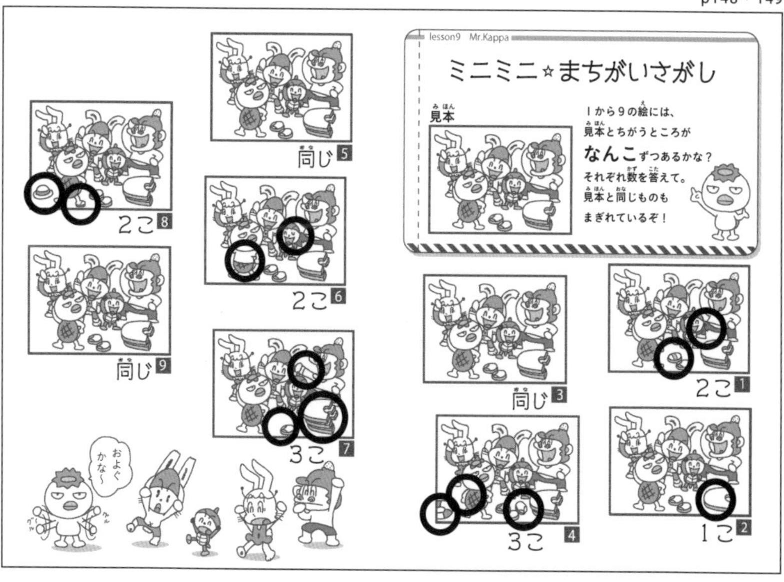

p150・151

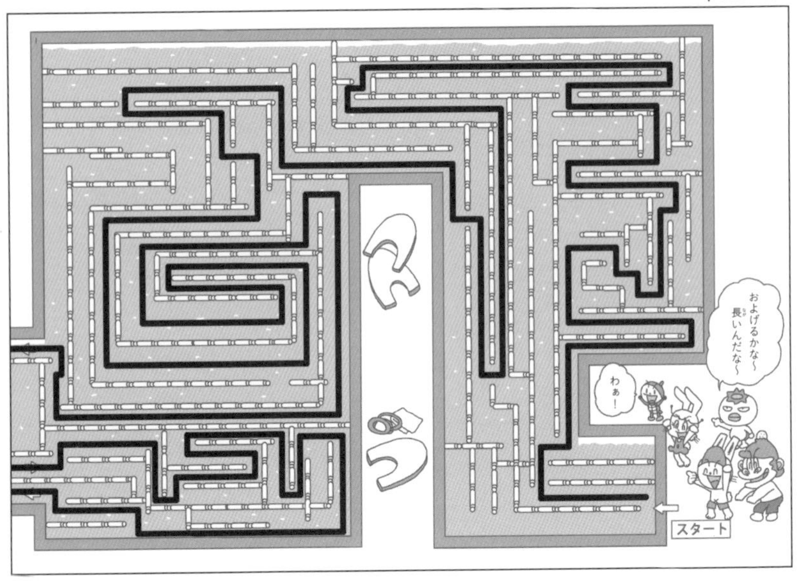

p158・159

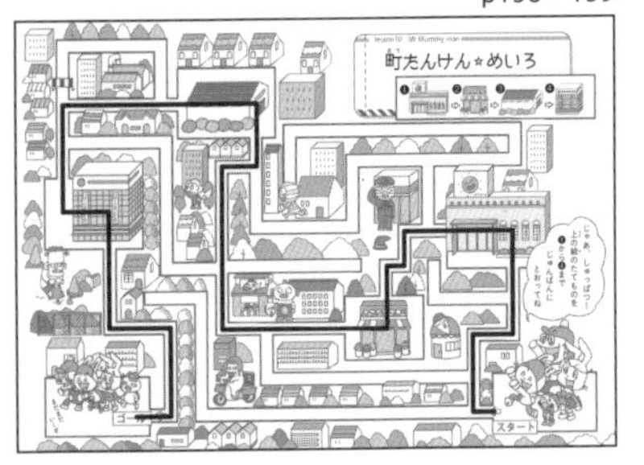

p155

p152・153

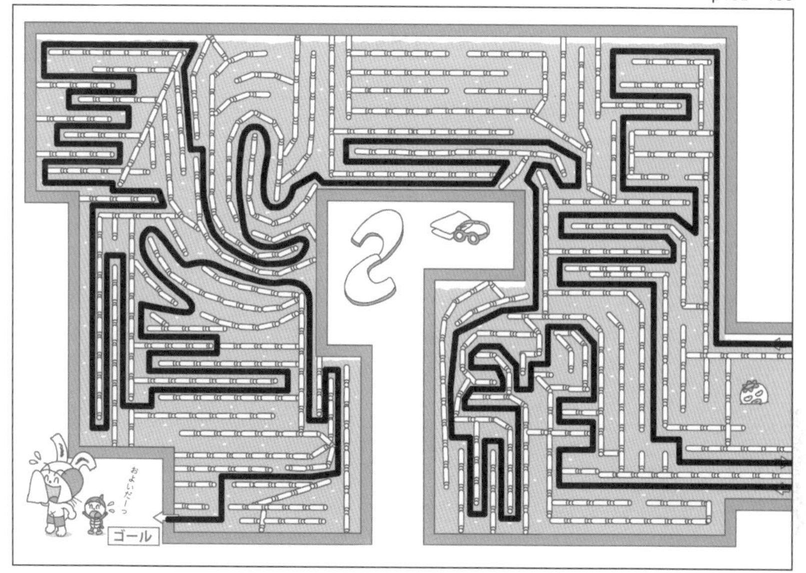

p161

p160

p162・163

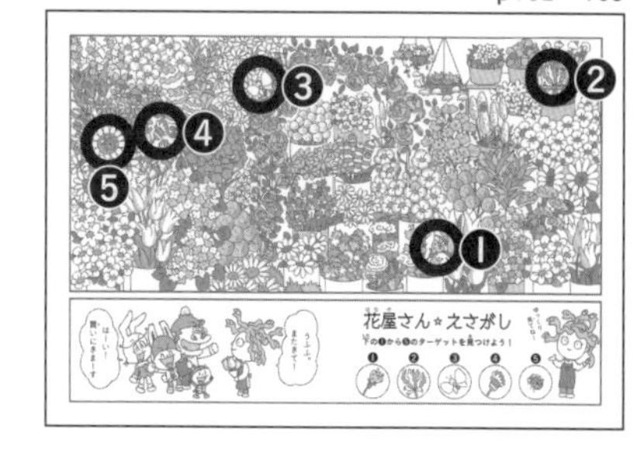

p164・165

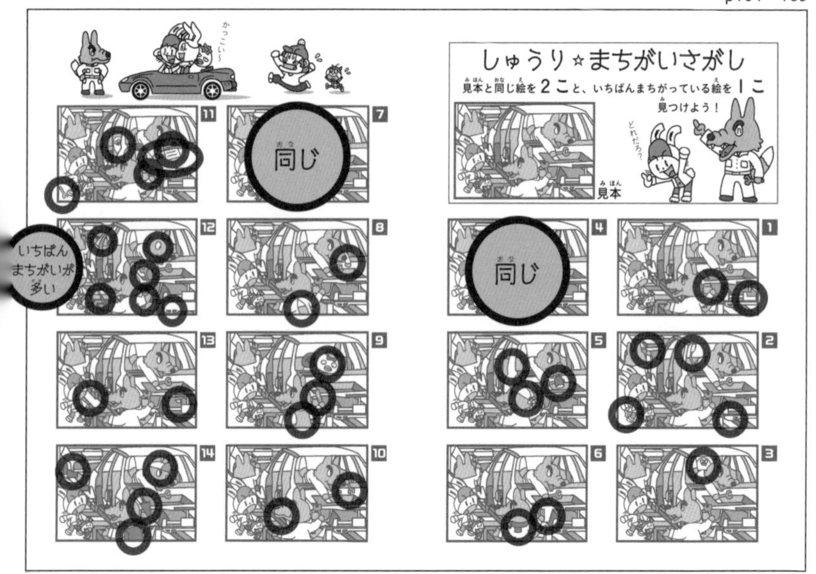

p172・173

p174・175

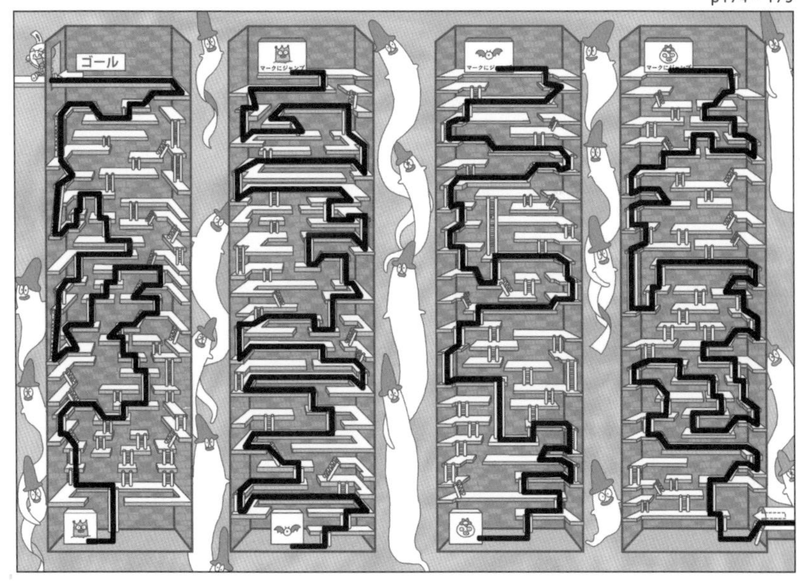

p180・181

p183

p184・185

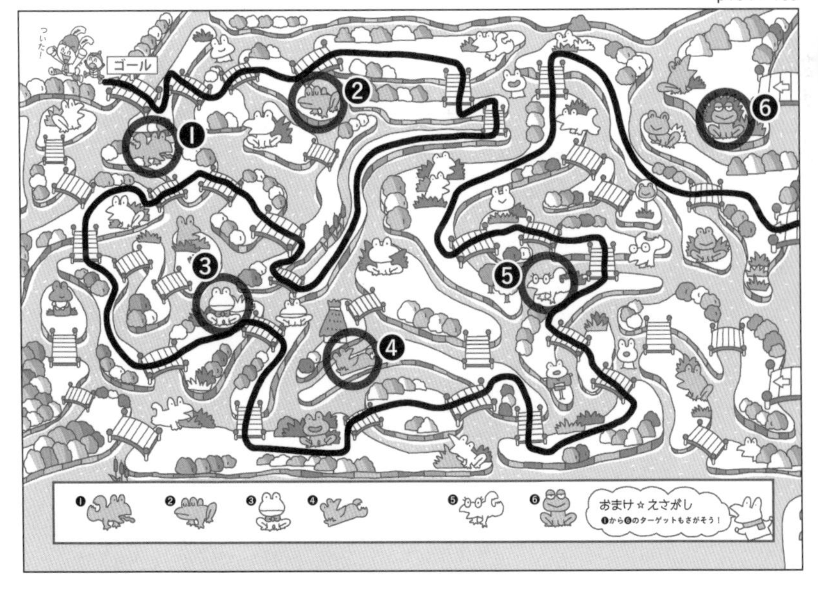

p187

p192・193

p190

p188・189

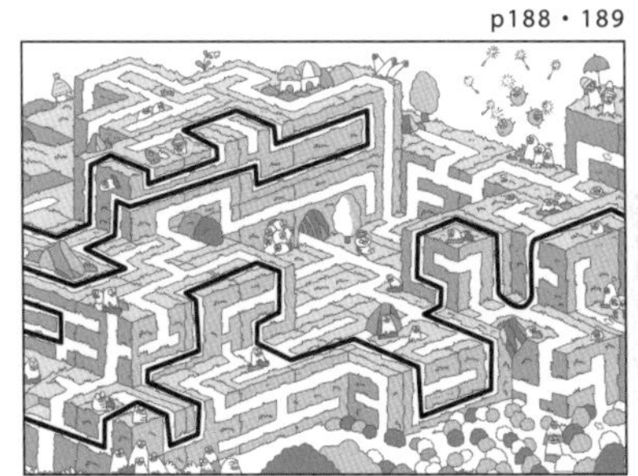

p194・195

よぉし! ここで、みんなできねんしゃしんをとるぞーっ!

見本とくらべて、
▼2こちがう絵を2つ
▼3こちがう絵を一つ
▼6こちがう絵を一つ
▼すべて同じ絵を一つ
さがしてね〜!

見本

2 2こ

3 3こ

4 6こ

5 同じ

1 2こ

p196・197

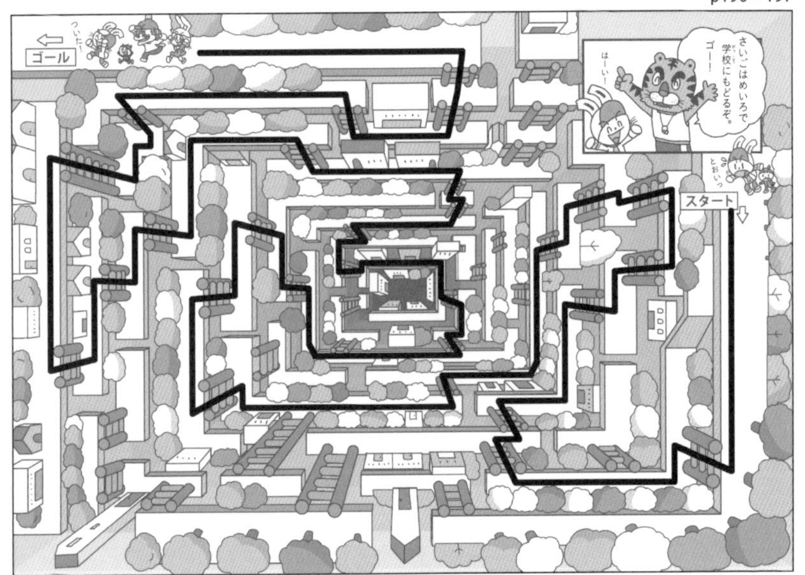

p201

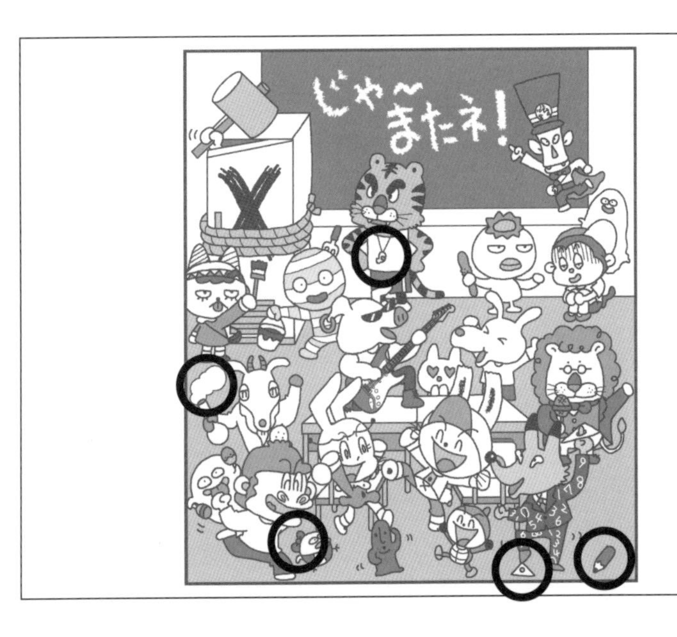

このみ・プラニング
1000万部を超える人気シリーズ「ぴょこたんのあたまのたいそう」の作者・このみひかるの制作を支えるプロダクションとして設立。のちに企画編集に携わり、『ぴょこたんのなぞなぞ1616』『ぴょこたんのめいろ101』『はじめての なぞなぞ　ぴょこたんと あそぼう』（以上、あかね書房）など多数をサポート。現在は、このみひかるの作品や遊び、世界観を継承し、遊びの本の作・制作・編集などを幅広く手がけている。作品に「社会科・大迷路シリーズ」として『日本地理めいろ』（国土社）、『ネバーエンディングめいろ』（小峰書店）、『なぞなぞ名人全百科』（小学館）など作品多数。

ぴょこたんのなぞなぞめいろブック3
びっくり！ 学校めいろ

このみ・プラニング

イラスト　やなぎみゆき
　　　　　岡本晃彦
編集協力　ぱぺる舎
　　装幀　鷹觜麻衣子

2017年8月31日　初版発行

発行者　岡本光晴
発行所　株式会社あかね書房
〒101-0065 東京都千代田区西神田3-2-1
電話 03-3263-0641（営業）　03-3263-0644（編集）
印刷所　錦明印刷株式会社
製本所　株式会社ブックアート

ISBN978-4-251-00483-3　NDC798　224p　18cm
http://www.akaneshobo.co.jp

落丁本・乱丁本はおとりかえいたします。
定価はカバーに表示してあります。